O PRÍNCIPE

MAQUIAVEL

O PRÍNCIPE

Traduzido do italiano (séc. XVI) por
ANTONIO CARUCCIO-CAPORALE

www.lpm.com.br

L&PM POCKET

Coleção **L&PM** POCKET, vol. 110

Texto de acordo com a nova ortografia.

Primeira edição na Coleção **L&PM** POCKET: 1998
Esta reimpressão: setembro de 2024

Título original: *Il principe*

Capa: L&PM Editores sobre obra de Simone Martini. *Palacio della Signoria, Siena.*
Revisão: Ruiz Faillace e Renato Deitos

ISBN 978-85-254-0895-2

M149p

Machiavelli, Nicoló di Bernardo dei, 1469-1527.
   O Príncipe / Maquiavel; tradução de Antonio Caruccio-Caporale.
Porto Alegre: L&PM, 2024.
   176 p. ; 18 cm – (Coleção L&PM POCKET; v. 110)

   1. Política-Maquiavel. 2. Maquiavel, 1469-1527. I.Título.
II. Série.

CDD 320
CDU 32

Catalogação elaborada por Izabel A. Merlo, CRB 10/329.

© da tradução, L&PM Editores, 1998

Todos os direitos desta edição reservados a L&PM Editores
Rua Comendador Coruja, 314, loja 9 – Floresta – 90.220-180
Porto Alegre – RS – Brasil / Fone: 51.3225.5777

PEDIDOS & DEPTO. COMERCIAL: vendas@lpm.com.br
FALE CONOSCO: info@lpm.com.br
www.lpm.com.br

Impresso no Brasil
Primavera de 2024

O PRÍNCIPE[1,2]

De Nicolau Maquiavel

*para o Magnífico
Lourenço de Médicis[3]*

De praxe, aqueles que desejam obter os favores de um Príncipe apresentam-se a ele com os pertences que lhe são mais caros e à vista dos quais veem que ele mais se encanta. Por isso, frequentemente, vemo-los presenteá-lo com cavalos, armas, tecidos tramados em ouro, pedras preciosas e alfaias desse tipo, dignos da Sua grandeza. Assim, desejoso de apresentar-me a Vossa Magnificência com alguma prova de minha submissão, nada encontrei, em meu cabedal, que prezasse e estimasse tanto quanto o entendimento das ações dos grandes personagens, o qual adquiri na detida observação[4] dos episódios modernos e na leitura incessante dos antigos episódios sobre os quais longamente e com grande atenção meditei, para ora condensá-los num pequeno volume que a Vossa Magnificência remeto.

Mesmo considerando esta obra demasiado humilde para ser-lhe apresentada, *tamen*[5] Sua humanidade é para mim uma garantia de que Ela a receberá com simpatia, haja vista que maior dom não poderia eu fazer que o de oferecer-lhe um meio de poder rapidamente perceber o que compreendi no curso de muitíssimos anos, com grande custo e risco pessoais. E este livro, eu não o enfeitei nem o sobrecarreguei com longos períodos, com palavras sonantes e empoladas, nem com algum outro arrebique ou ornamento amaneirado com os quais muitos adornam suas obras: por meu intento, ou nenhum mérito distinguirá meu livro, ou apenas a novidade da matéria e a sua gravidade o farão lograr boa acolhida. Tampouco desejaria que a um homem de reles e modesta condição fosse imputada a presunção de ousar discorrer a conduta política dos príncipes e de preceituar-lhe as regras: ora, assim como aqueles que, desenhando paisagens, se postam na rasa planície para contemplar a feição dos montes e dos pincaros, e se empoleiram sobre esses a fim de melhor considerar as planuras, assim, para conhecer a natureza dos povos, é preciso ser Príncipe, e para conhecer a dos príncipes, ser do povo.

Destarte, receba, Vossa Magnificência, este singelo dom com o mesmo espírito que me anima a enviá-lo. Lendo-o e considerando-o atentamente, nele notará meu grande anseio de que Ela eleve-se à majestade que a fortuna e que os seus outros atributos lhe prometem. Se Vossa Magnificência, do alto de sua magnanimidade, vez por outra voltar os olhos para cá embaixo, saberá o quanto me degrada suportar o meu fado (*fortuna*), infinda e perenemente funesto[6].

I

Quantos são os tipos de principado e como conquistá-los

*Quot sint genera principatuum
et quibus modis acquirantur*

Todos os Estados e todos os governos que exerceram ou exercem certo poder sobre a vida dos homens foram e são repúblicas ou principados. Um principado, ou é hereditário, quando é longeva a soberana linhagem de seu Senhor, ou é nascente. E este, ou é inteiramente nascente, como foi Milão para Francesco Sforza[7], ou consiste num apêndice do Estado hereditário do Príncipe que o assenhoreou, como o Reino de Nápoles para o Rei de Espanha[8]. Domínios assim conquistados, ou costumam viver sob o jugo de um Príncipe, ou conservam-se afeitos à liberdade; e sua posse se dá, ou com o concurso de armas alheias, ou com recurso às suas próprias; ou graças à fortuna, ou graças ao mérito (*virtù*)[9].

II

Dos principados hereditários
De principatibus hereditariis

Não discorrerei a vida das Repúblicas, já que o fiz amplamente alhures[10]. Deter-me-ei somente sobre os principados, retramando sobre a tela acima urdida e discutindo de que modo podem eles ser governados e preservados.

Afirmo que é muito menor a dificuldade de conservar os Estados hereditários, onde arraigou-se a linhagem do seu Príncipe, que os novos Estados, porquanto para tanto bastará não preterir a ordem ancestral. Ademais, restará temporizar de acordo com as injunções, de sorte que, se normalmente hábil, qualquer Príncipe permanecerá indefinidamente soberano em seu Estado, a menos que deste seja ele privado por uma força extraordinária e sobrepujante. Ainda neste caso, ao menor revés do ocupante, ele reaverá o seu principado.

In exemplis, temos na Itália o Duque de Ferrara[11], que só resistiu às investidas dos venezianos, em 1484, e do Papa Júlio, em 1510, graças à ancianidade de sua estirpe naqueles domínios. Do fato de não ter tantas razões nem tanta necessidade de espezinhar os seus súditos decorre que o Príncipe natural é mais benquisto. Se vícios dissolutos não o fazem malvisto, é razoável que o povo consigo simpatize. No tempo e na longa sucessão do poder hereditário embotam-se a memória e as razões de toda inovação, pois que sempre uma mutação deita as bases para a edificação de outra.

III

Dos principados mistos

De principatibus mixtis

Com efeito, um principado novo apresenta dificuldades. Em primeiro lugar, se ele não é de todo novo; se ele surge como parte de um principado maior (o todo pode ser chamado *principado misto*), as alternâncias [em seu governo] resultam, acima de tudo, de uma natural dificuldade, constante em todos os principados novos, qual seja, a de que, acreditando em melhorias, os homens facilmente substituem o governante. E é ilusória essa crença que os faz pegar em armas contra o senhor: mais tarde, por experiência, compreenderão que a sua situação deteriorou-se. Decorre daí uma outra necessidade, natural e ordinária, a de sempre melindrares aqueles dos quais és o novo Príncipe, seja pela presença das tuas tropas de ocupação, seja através de uma infinidade de outras injúrias que seguem-se a uma nova conquista, de sorte que terás como inimigos todos os que lesaste ao ocupares este principado, e tampouco poderás consolidar a amizade daqueles que abriram-te o caminho, pela impossibilidade de recompensá-los do modo que esperavam sê-lo e pela gratidão que impedirá que adotes contra eles remédios mais fortes. Isto porque, por mais poderoso que seja o próprio exército, necessita-se sempre da ajuda da gente local para o ingresso nas suas terras. É por essas razões que o Rei Luís XII de França, havendo rapidamente tomado Milão, rapidamente a perdeu, e, para esta primeira perda, bastou que se lhe opusessem as forças de Ludovico [Sforza][12], porquanto aquela gente que abrira-lhe as portas, frustrada e decepcionada quanto ao futuro que concebera, não podia suportar o desgosto que lhe causara o novo Príncipe.

É bem verdade que, por uma segunda vez reconquistadas as terras sublevadas, perdê-las será mais difícil: o senhor, por ocasião de uma [nova] rebelião, terá menos escrúpulos em salvaguardar a sua posição, castigando os insurretos, desmascarando os suspeitos, firmando-se onde achava-se vulnerável. De sorte que, se, na primeira vez, para arrebatar Milão do domínio francês, bastara que um Duque Ludovico incitasse as fronteiras ao tumulto[13], para uma segunda destituição foi preciso que todos se unissem contra a França e que fossem aniquiladas e expulsas da Itália as suas milícias[14] – o que advém das razões antes aludidas. Sem embargo, da primeira como da segunda vez, Milão foi retomada.

Foram mencionadas as razões gerais da primeira perda; resta agora examinar as razões da segunda e saber que remédios teria o Rei de França ou outro monarca que se encontrasse em idêntica situação para poder melhor sustentar-se em sua conquista, coisa que ele não logrou.

Digo, então, que estes Estados conquistados que se incorporam a um Estado mais antigo, ou comungam da mesma origem e da mesma língua, ou não comungam. Quando sim, torna-se muito fácil conservá-los, sobretudo se não estão acostumados a viver livremente. Para possui-los de forma segura, basta haver-se extinto a estirpe do Príncipe que o dominava, pois que, quanto ao mais, mantendo-se os seus antigos privilégios e não havendo alteração nos costumes, os homens viverão pacificamente, como constatamos na Borgonha, na Bretanha, na Gasconha e na Normandia, que há tanto tempo vivem sob a égide da França. Ainda que haja certas disparidades de língua, os costumes são todavia semelhantes e moldam-se facilmente uns aos outros. Aquele que conquista [este tipo de Estado], querendo mantê-lo seu, deve atentar a duas coisas: uma, em extinguir a linhagem de seu antigo Príncipe; a outra, em não modificar nem as suas leis, nem os seus impostos, de sorte que, dentro de pouco tempo, [este novo Estado] constitua, com o principado antigo, um único e mesmo corpo.

Porém, é quando conquista-se um Estado de uma Nação de língua, costumes e governo diferentes que surgem as dificuldades e que se deve contar com muita sorte (*fortuna*) e possuir grande talento para conservá-lo. Morar nas terras por ele conquistadas seria uma das mais agudas e eficazes medidas a serem adotadas pelo Príncipe. Isto faria mais segura e mais duradoura a sua posse. Assim procedeu o Turco[15]: não houvesse ele fixado a sua morada na Grécia, não teria logrado conservá-la, malgrado todas as outras resoluções que tomara neste sentido. Isto porque, radicando-se no próprio território, vê-se o nascedouro das desordens, e num pronto pode-se remediá-las. Dele fazendo-se ausente, destas só toma-se conhecimento quando assumem uma tal proporção que mais nenhum remédio pode agir. Além disso, os teus funcionários[16] não ousarão espoliar o principado, uma vez que os teus súditos poderão facilmente a ti recorrer e obter satisfação, donde se deduz que estes, querendo viver com retidão, terão mais razões para prezar o Príncipe, e, desejando viver de um modo diverso, mais razões terão para temê-lo. Os estrangeiros que intentarem invadir este Estado hesitarão em fazê-lo. Conclui-se daí que, nele residindo, serão remotas, para o Príncipe, as chances de perdê-lo.

Uma outra excelente medida é enviar colonos, assentando-os em uma ou duas zonas do principado. Os colonos servirão como verdadeiros grilhões deste Estado, porquanto, se tal não for feito, será necessário manter no local um grande número de milicianos e de peões. Não são grandes os gastos com as colônias; o seu envio e a sua manutenção não acarretam nenhuma ou acarretam pouquíssima despesa. O Príncipe lesará somente aqueles dos quais tomará as terras e as casas para dá-las aos novos habitantes; e aqueles, os lesados, que representam uma ínfima parte do seu Estado, achando-se dispersos e desvalidos, jamais contra ele poderão conspirar. Todos os demais, de um lado por não haverem sido prejudicados; de outro, preocupados em não cometer infração e receosos de que a eles advenha a mesma espoliação a que os outros foram submetidos, permanecerão quietos e cordatos. Concluo que estes colonos não oneram o Estado, são mais fiéis ao Príncipe e melindram menos os súditos locais. Aqueles espoliados, como foi dito, desvalidos e dispersos, já não podem ser nocivos. Daí dever-se atentar para o fato de que os homens devem ser amimados ou liquidados, pois que se vingam das pequenas afrontas e das graves não podem fazê-lo. Em razão disso, o agravo que se faz a um homem nunca deve deixar margem a vinganças. Todavia, se, em lugar de colonos, o Príncipe lá mantiver milicianos, gastará muito mais, e toda a renda do Estado acabará consumida no sustento das guarnições, de modo que o seu ganho resultará em perdas. Além disso, afrontará com rudeza ainda maior os súditos locais, porquanto desgostará todo o povo com os deslocamentos e os acantonamentos do seu exército. Todos sofrem com esta fastidiosa situação e todos fazem-se inimigos do Príncipe, inimigos que podem embaraçá-lo; afinal, insultados que foram, têm ainda as suas casas a abrigá-los. Portanto, de todo modo é inútil esta força de ocupação, tanto quanto é útil o assentamento das colônias.

Aquele que se instala num principado de origem estrangeira deve ainda, como foi dito, fazer-se chefe e defensor dos vizinhos menos poderosos, envidar esforços para enfraquecer os fortes e estar atento para que, por nenhuma desventura, nele ingresse um forasteiro tão poderoso quanto ele. E sempre intervirá esta força estrangeira, introduzida no principado por aqueles [dos antigos moradores] que se acharão inconformados, movidos por uma grande ambição ou por medo, como vimos que um dia os etólios introduziram os romanos na Grécia[17]. De resto, em todas as outras províncias onde penetraram, os romanos contaram sempre com o apoio da gente local. E a ordem das coisas determina que, tão logo um estrangeiro poderoso adentra uma província, todos os que nela encontram-se em frágil posição emprestam-lhe a adesão, impelidos pela inveja que nutrem daquele que sobre eles exerce o poder, de modo que, no que respeita a esses mais fracos, o poderoso estrangeiro não deve ter nenhuma dificuldade em granjear a sua simpatia: sem tardar e de bom grado, todos juntos formam uma só frente com o povo subjugado destas terras. Nelas, o estrangeiro deve apenas cuidar para que eles não adquiram demasiado poder nem excessiva autoridade. Então, facilmente poderá, com as suas forças e com a ajuda dessa gente, render os detentores do poder, fazendo-se juiz e soberano. Quem não governar na observância desta regra logo perderá o que ganhou, e, enquanto permanecer no poder, conhecerá incontáveis dificuldades e aborrecimentos.

Os romanos, nas províncias que tomaram, obedeceram fielmente a estes preceitos: colonizaram-nas, sustentaram os mais fracos sem permitir que o seu poder fosse ampliado, submeteram os poderosos locais e impediram que os poderosos estrangeiros nelas firmassem boa reputação. Basta-me como exemplo a província[18] da Grécia. Os romanos protegeram os etólios e os aqueus, fizeram declinar o reino dos macedônios, expulsaram Antíoco, e jamais os méritos dos aqueus ou dos etólios fizeram com que lhes fosse permitido ampliar qualquer dos seus domínios; nem a persuasiva de Filipe jamais induziu-os a votarem-lhe amizade como a um igual; nem a força de Antíoco[19] fê-los consentir que este possuísse qualquer terra naquela província. Os romanos, neste caso, fizeram aquilo que todos os príncipes prudentes devem fazer: cuidar não somente das desordens presentes, mas precaver-se das futuras, e empregar todo o seu talento a remediá-las, o que mais facilmente se fará se de longe forem previstas. Ao contrário, se esperares que elas se consumam, a droga chegará tarde demais, porquanto o mal terá tornado-se incurável.

Ocorre que este mal, como no dizer dos médicos a propósito da tísica, é, em seu princípio, fácil de curar e difícil de identificar; no entanto, com o passar do tempo, se de início não foi nem reconhecido, nem medicado, torna-se fácil de identificar e difícil de curar. Assim acontece com a vida de um Estado: conhecendo-se com antecedência (o que não é dado senão a um Príncipe prudente) os males que nascem em seu interior, estes são sanados sem tardança; mas quando, por não haverem sido reconhecidos a tempo, negligencia-se o seu crescimento até o ponto em que qualquer um possa percebê-los, contra eles não há mais remédio.

Os romanos, entretanto, antevendo perfeitamente os inconvenientes [advindos desta incúria], sempre os remediaram e jamais permitiram a prorrogação de tais males para furtar-se a uma guerra, pois sabiam que uma guerra não evita-se mas protela-se, e nunca em seu próprio favor. Assim, preferiram guerrear contra Filipe e contra Antíoco na Grécia para não terem de fazê-lo mais tarde na Itália, e, embora pudessem, não quiseram evitar nem um nem o outro. Aliás, jamais aprovaram aquilo que não sai da boca dos conselheiros de hoje em dia, o "gozar dos benefícios do tempo", preferindo tirar proveito de suas próprias virtude e prudência: sabiam que o tempo tudo arrasta consigo e que, assim, ele pode trazer o bem como o mal, o mal como o bem.

Mas retornemos ao caso da França e examinemos se ela agiu conforme o que foi dito. Eu falarei de Luís e não de Carlos[20]: por haver mantido durante um mais longo tempo os seus domínios na Itália, a sua conduta pôde ser melhor observada. Tu verás, então, como ele fez o contrário daquilo que se deve fazer para manter-se um Estado em terras estrangeiras.

O Rei Luís foi introduzido na Itália por obra dos ambiciosos venezianos, que desejaram, com a sua vinda, assenhorear-se da metade do Estado lombardo[21]. Não quero censurar este partido tomado pelo Rei, uma vez que, ao querer pôr um primeiro pé na Itália e não contando com amigos nestas terras – mas, pelo contrário, com todas as portas sendo-lhe fechadas, mercê da conduta do Rei Carlos –, ele viu-se forçado a aceitar as alianças possíveis. E teria logrado êxito com o partido tomado, não houvesse cometido nenhum erro em suas outras manobras. O Rei, então, conquistada a Lombardia, logo recuperou o bom conceito do qual Carlos não lhe fizera herdeiro: Gênova rendeu-se; os florentinos fizeram-se seus amigos; o Marquês de Mântua, o Duque de Ferrara, Bentivogli, a Senhora de Forli; os Senhores de Faenza, de Pesaro, de Rímini, de Camerino, de Piombino; os luqueses, os pisanos, os sienenses, todos apresentaram-se diante dele a fim de oferecer-lhe a adesão[22]. Foi então que os venezianos puderam considerar a temeridade do partido que haviam tomado: visando conquistar duas cidades na Lombardia, deste Rei fizeram o senhor de uma terça parte da Itália.

Ora considere-se o quão fácil teria sido para o Rei conservar o seu prestígio na Itália se houvesse ele observado as sobreditas regras, amparando e defendendo todos os seus aliados, os quais, por acharem-se em grande número, fracos e tementes – alguns – à Igreja e – outros – aos venezianos, provavam da absoluta necessidade de permanecer ao seu lado[23]. Ademais, com o apoio desses aliados, facilmente teria ele podido proteger-se daqueles que no país seguiam sendo grandes. Todavia, mal ele instalara-se em Milão e passou a fazer o exato contrário, oferecendo ajuda ao Papa Alexandre para que este ocupasse a Romanha[24]. Nem sequer apercebeu-se de que, assim deliberando, fazia-se vulnerável: afastava de si os aliados – como aqueles que nele haviam buscado um amparo – e tornava a Igreja demasiado forte, aditando ao seu poder espiritual, que tanta autoridade lhe confere, um equiparável poder temporal. Cometido um primeiro erro, ele viu-se forçado a seguir nesta trilha, de sorte que, para dar um termo à ambição de Alexandre e para que este não deviesse o Senhor da Toscana[25], Luís foi obrigado a retornar à Itália[26]. Como não lhe houvesse bastado haver fortalecido a Igreja e ter-se privado dos seus próprios aliados, ele, pretendente ao trono de Nápoles, dividiu-o com o Rei de Espanha[27]. Embora soberano na Itália, ele cedeu espaço a um rival, dando ensejo a que os ambiciosos e descontentes daquelas latitudes contra ele tivessem a quem recorrer; embora em condições de nelas deixar um Rei que lhe fosse subordinado, destituiu-o para instalar um outro que a ele mesmo poderia expulsar.

É coisa realmente muito natural e comum o desejo de conquista, e, sempre que a realizarem os homens aptos para tanto, eles serão louvados ou, pelo menos, não serão recriminados. Porém, quando, mesmo sem podê-lo, eles sem mesura a anseiam, incorrem em erro e cabe a reprovação. Portanto, se com as suas próprias forças os franceses podiam investir contra Nápoles, haviam de tê-lo feito; sem condições para tanto, erraram ao partilhá-la. Se a divisão da Lombardia que fizera o Rei com os venezianos merece ser relevada, pois que graças a ela pôde pôr um pé na Itália, esta de Nápoles merece censura, porquanto a mesma necessidade não lhe serve de escusa.

O Rei Luís, portanto, cometera estes cinco erros: solapara os [aliados] mais fracos; dera a um forte ainda mais força na Itália; nela introduzira um estrangeiro extremamente poderoso[28]; dela não fizera a sua morada e nela não assentara as colônias.

Esses cinco erros talvez não lhe houvessem, em vida, trazido prejuízo maior, não tivesse ele cometido o sexto, o de desapossar os venezianos do Estado que lhes pertencia. Vejamos: se ele não houvesse tornado mais poderosa a Igreja, nem introduzido a Espanha na Itália, teria sido bem razoável e necessário reduzir-lhes as forças; contudo, havendo tomado esses primeiros partidos, não devia o Rei jamais consentir na ruína desses venezianos, visto que, poderosos como eram, eles teriam mantido permanentemente à distância todos aqueles que intentassem algo contra a Lombardia. Aliás, nem eles o teriam tolerado (a menos que isto redundasse na sua própria hegemonia), nem os inimigos da França haveriam de pretender tomá-la para entregá-la a eles, venezianos. Enfim, a enfrentar franceses e venezianos juntos aqueles não se atreveriam. Se, todavia, alguém objetar que o Rei Luís cedera a Romanha ao Papa e Nápoles aos espanhóis com o fim de evitar uma guerra, respondo, à luz das já referidas razões, que não se deve jamais dar livre curso a uma desordem para esquivar-se a uma guerra, porquanto esta não se evita mas adia-se em detrimento próprio. E se alguém ainda alegar a promessa que o Rei fizera ao Papa de adotar aquela política em troca da anulação do seu casamento e do chapéu [cardinalício] para [o Arcebispo de] Ruão[29], responderei com palavras anotadas adiante sobre a fé dos príncipes e de como deve ela ser praticada.

O Rei Luís assim perdeu a Lombardia por não haver observado nenhuma das regras que outros observaram ao desejarem conservar os principados que conquistaram. Não há nada de extraordinário nisso; pelo contrário, esta é uma situação ordinária e racionável. Desta matéria, aliás, tratei em Nantes com o Cardeal de

Ruão[30], no comenos em que *o Valentino* (assim como era popularmente chamado César Bórgia, filho do Papa Alexandre) ocupava a Romanha. O Cardeal, por haver-me dito que os italianos nada entendiam da guerra, teve, de minha parte, como resposta, que os franceses nada entendiam da política, pois que, se nela fossem versados, não teriam permitido que a Igreja ganhasse tanto em poder. De resto, a experiência demonstrou-nos que, na Itália, o grande poder da Igreja e da Espanha deve-se à política francesa; França que deve àquelas a sua própria derrota. Donde pode-se tirar uma regra geral que jamais ou raramente falha: aquele que promove o poder de um outro perde o seu, pois tanto a astúcia quanto a força com as quais fora ele conquistado parecerão suspeitas aos olhos do novo poderoso.

IV

Por que o Reino de Dario, ocupado por
Alexandre, não se rebelou
contra os seus sucessores após a morte deste

*Cur Darii regnum quod Alexander
occupaverat a successoribus
suis post Alexandri mortem non defecit*

Consideradas as dificuldades que se apresentam ao resguardo de um Estado recentemente conquistado, alguém poderia espantar-se com o fato de que, havendo em poucos anos Alexandre Magno tornado-se senhor da Ásia e morrido pouco depois de tê-la ocupado – quando parecia lógico[31] que todo aquele povo se rebelasse –, os seus sucessores o hajam mesmo assim conservado, para tanto não tendo conhecido outra dificuldade além daquela que entre eles surgiu em razão de suas particulares ambições[32]. Eu afirmo que todos os principados de que se tem registro foram ou são governados de um destes dois modos: ou por um Príncipe cujos servos, por sua graça e consentimento, ajudam-no, qual ministros, a governar o seu reino, ou por um Príncipe e pelos representantes de um baronato, que, não por graça principesca mas por direito hereditário, assumem essa condição. Esses barões possuem os seus próprios senhorios e os seus próprios súditos, que os reconhecem enquanto senhores e votam-lhes uma natural devoção. Aqueles Estados governados por um Príncipe e pelos seus servos têm na pessoa deste a autoridade suprema, porquanto em toda a extensão dos seus domínios ninguém mais, além dele, pode ser reconhecido como soberano. Qualquer outro homem que exerça poder de mando o fará na qualidade de ministro ou de oficial, mas a ele não se votará especial apreço.

Contemporaneamente, os exemplos destes dois tipos de governo são o do Grão-turco e o do Rei da França. O Turco é o único regente de todo o seu Império – os outros homens são os seus servos –, Império que ele divide em *sandjaks*[33], aos quais designa administradores, promovendo as substituições a seu bel-prazer. O Rei da França, ao revés, encontra-se rodeado de um grande número de senhores de velha estirpe, reconhecidos e prezados no Reino pelos seus súditos, senhores proeminentes cujos direitos o Rei não poderia cassar sem correr ele próprio certos riscos. Quem, então, considerar um e outro desses regimes perceberá a dificuldade de conquistar-se o Império do Grão-turco, mas também a facilidade de mantê-lo, uma vez conquistado. Inversamente, compreenderá que, sob certos aspectos, pode ser mais fácil tomar o Reino de França, porém mais difícil conservá-lo[34].

As razões da dificuldade em chegar-se à conquista do Império do Turco estão em que, para a facilitação desta empresa, não se pode esperar nem pelo apelo dos grandes do seu Reino, nem pela sublevação daqueles que o rodeiam. Isto decorre das já mencionadas razões: devendo-lhe todos escrava obediência e gratidão, mais dificilmente poderiam estes ser corrompidos, e, ainda que o fossem, pouco proveito se poderia daí extrair, pois que, pelas razões consignadas, não poderiam eles arrastar o povo consigo. Portanto, aquele que investir contra o Império Turco deve esperar encontrá-lo protegido por forças coesas e confiar mais em seu próprio poderio do que na desordem daquelas. Porém, uma vez vencidas e desmanteladas na guerra, de um modo tal que estas milícias não possam mais reorganizar-se, somente a dinastia do soberano representará ainda uma ameaça. Liquidada esta, mais ninguém restará a quem temer, pois que mais ninguém exercerá autoridade sobre o povo. Assim como o vencedor não podia, antes da vitória, contar com o apoio deste povo, do mesmo modo, após a vitória, não terá ele razão para temê-lo.

O contrário sucede em reinos governados como o da França: neles, se caíres nas graças de algum dos seus barões, facilmente poderás introduzir-te, porque sempre haverá os descontentes e aqueles que almejam por reformas. Estes, pelas razões assinaladas, poderão abrir-te o caminho de acesso ao reino e facilitar-te a vitória, uma vitória a cuja consolidação infinitas dificuldades mais tarde te serão impostas, tanto por aqueles que te haviam secundado quanto por aqueles que tu havias oprimido. Tampouco bastará extinguires o sangue real, pois sempre num reino subsistem os senhores que se fazem líderes de novas rebeliões, e, porquanto não podes nem contentá-los nem dizimá-los todos, ao primeiro ensejo perderás o que havias conquistado.

Ora, se atentares para a natureza do governo de Dario, perceberás que ela assemelhava-se à do Reino do Grão-turco, razão pela qual a Alexandre fora primeiramente necessário combatê-lo e derrotá-lo nos campos de batalha. Morto Dario e consumada a vitória, Alexandre, nas condições antes explanadas, entrou no domínio daquele Império. Os seus sucessores, houvessem permanecido unidos, dele teriam tranquilamente usufruído, visto que lá não eclodiram outros tumultos senão aqueles que eles mesmos suscitaram. Todavia, de Estados ordenados como o francês é impossível assenhorear-se de uma forma tão tranquila. Desta impossibilidade derivaram as frequentes rebeliões da Espanha, da Gália e da Grécia contra os romanos: em razão do grande número de senhorios naqueles Estados – e até que expirasse a memória de cada um –, os romanos viveram na incerteza de efetivamente possuí-los. Contudo, dissipada a memória daqueles, os romanos, mercê do poderio e da durabilidade do seu Império, fizeram-se os soberanos ocupantes. Desde então, e a despeito dos seus combates intestinos, puderam eles, cada um[35], apossar-se de uma parte daquelas províncias (segundo a autoridade que, nelas, uns e outros haviam adquirido), províncias onde, uma vez eliminada a descendência dos antigos senhores, somente os romanos tiveram o seu direito de mando reconhecido. Assim, consideradas todas essas coisas, a ninguém causará espanto que Alexandre, *o Grande*, haja contado com tamanha facilidade para impor o seu domínio sobre o Império da Ásia, e que outros, como Pirro e muitos mais, tenham conhecido tantas dificuldades para conservar o que haviam conquistado[36], fato que não advém da muita ou pouca virtude dos vencedores, mas das diferentes naturezas dos vencidos.

V

De que modo deve-se governar as cidades ou os principados que, anteriormente à sua ocupação, viviam no respeito às próprias leis

Quamodo administrandae sunt civitates vel principatus qui, antequam occuparentur, suis legibus vivebant

Quando os Estados conquistados encontram-se, como foi dito, habituados a viver com as suas próprias leis e em liberdade, há três modos de impor-lhes o jugo: o primeiro é destruindo-os; um outro, neles o novo príncipe fixando a sua morada; o terceiro é consentindo em que vivam conforme as suas leis, recolhendo um tributo e criando em seu interior um governo oligárquico que lhes coíba todo amotinamento. Por haver sido criada pelo príncipe, esta oligarquia é ciente de que não poderá suster-se sem a sua simpatia e sem o seu poder, e tudo haverá de fazer para sustentá-lo em sua posição. Quanto a ele, não querendo destruí-la, será mais fácil dominar uma cidade historicamente livre através dos seus próprios cidadãos que por outros meios, quaisquer que sejam estes.

In exemplis, conhecemos a história dos espartanos e dos romanos. Os primeiros dominaram Atenas e Tebas, instaurando nessas cidades um governo oligárquico: *tamen* não puderam conservá-las[37]. Os romanos, para impor-se em Cápua, Cartago e Numância, arrasaram-nas e não as perderam[38]. De início, tencionaram ocupar a Grécia quase do mesmo modo como haviam-na ocupado os espartanos, mantendo-a livre e regida pelas próprias leis: os resultados, no entanto, foram funestos, de sorte que, a fim de conservá-las, viram-se constritos a assolar várias cidades dessa província[39].

Na verdade, não há maneira mais segura de possuir uma província que talando-a. E aquele que devém senhor de uma cidade acostumada a viver em liberdade e que dela não faz ruínas pode esperar que *ela* o arruine, porquanto esta, em suas rebeliões, terá sempre a ampará-la a palavra "liberdade" e os seus antigos costumes, os quais nem a longa duração dos tempos, nem quaisquer benfeitorias jamais a farão esquecer. E por muito que se faça ou que se lhes proveja, os seus habitantes, se não submetidos à divisão ou à dispersão, jamais olvidarão aquela palavra nem aqueles costumes, e, em cada ocasião, sem detença passarão a evocá-los. Assim ocorreu em Pisa, cem anos após ela ter sido sujeita à servidão pelos florentinos[40].

Entretanto, quando as cidades ou as províncias estão habituadas a viver sob o mando de um príncipe e que a linhagem deste desaparece, elas, em parte por terem sido educadas à obediência, noutra parte (morto o antigo príncipe) por não lograrem um acordo na escolha de um novo, mostram a sua inépcia para viver em liberdade. Por consequência, demoram-se a pegar em armas: um príncipe, destarte, delas poderá com mais facilidade apoderar-se e nelas assentar o seu domínio. Nas repúblicas, porém, a vida, o ódio assumem um maior vulto, e é mais forte o desejo de vingança; a lembrança da sua antiga liberdade não as deixa nem as pode deixar impassíveis: o caminho mais seguro, portanto, será arrasá-las ou habitá-las.

VI

Dos novos principados conquistados mercê das próprias armas ou da virtude

De principatibus novis qui armis propriis et virtute acquiruntur

Ninguém pasmará se, quando me referir aos principados inteiramente novos – digo *novos* quanto ao príncipe e quanto ao Estado –, eu alegar sobejos exemplos. Ora, visto que os homens avançam quase sempre por caminhos traçados por outros homens e que dirigem os seus atos com base na imitação – ainda que sem poder trilhar a mesma via nem alcançar o mesmo mérito (*virtù*) dos que lhes servem de modelo –, o homem prudente deverá constantemente seguir o itinerário percorrido pelos grandes e imitar aqueles que mostraram-se excepcionais, a fim de que, caso o seu mérito (*virtù*) ao deles não se iguale, possa ele ao menos recolher deste uma leve fragrância: procederá, assim agindo, como um prudente arqueiro, que, sabedor da distância que a qualidade (*virtù*) do seu arco permite-lhe atingir, e, reconhecendo como demasiado longínquo o alvo escolhido, fixa a pontaria num ponto muito mais alto que o estipulado, esperando, não que a sua flecha alcance uma tamanha altura, mas poder, ajudado pela mira mais alta, atingir o ponto visado.

Digo, então, que a dificuldade em conservar-se um principado novo sob a autoridade de um novo príncipe será maior ou menor de acordo com o caráter mais ou menos virtuoso daquele que os conquistou. E, dado que este evento da passagem de homem (num sentido privado) a príncipe pressupõe que este possua méritos (*virtù*) ou muita sorte (*fortuna*), fica a impressão de que uma ou outra dessas duas condições podem, em parte, atenuar muitas das dificuldades. Todavia, o príncipe que depende menos da fortuna mantém-se por mais tempo enquanto tal. Ademais, certas facilidades têm ainda origem no fato de que ele, não possuindo outros Estados, precisará radicar-se neste novo principado.

Mas, para falar daqueles que, mercê da própria virtude e não da fortuna, tornaram-se príncipes, assevero que os mais excepcionais foram Moisés, Ciro, Rômulo, Teseu e outros desse mesmo porte[41]. E, se bem que a história de Moisés não seja perfeitamente ilustrativa, pois que era um mero executante das ordens de Deus, *tamen* ele deve ser admirado, *solum* por esta graça que o fazia digno de falar com o Criador. Mas se considerarmos Ciro e os outros que conquistaram ou fundaram reinos, em todos eles reconheceremos personagens admiráveis. Aliás, se observarmos as suas particulares ações e condutas, elas não nos parecerão discrepantes cotejadas às de Moisés, que contara com um tão grande preceptor. Examinando os seus feitos e as suas trajetórias, não podemos concluir que da fortuna eles hajam recebido mais do que a ocasião que a ***materia***lidade das suas vidas ofereceu-lhes de poderem nela mesma introduzir a ***forma*** que lhes parecia justa[42]. Sem esta ocasião, suas virtudes espirituais ter-se-iam perdido, e, sem essas virtudes, a ocasião haveria sido vã.

Assim, fora necessário que Moisés encontrasse o povo de Israel escravizado e oprimido pelos egípcios para que este, buscando dar fim à sua servidão, dispusesse-se a segui-lo. Calhara que Alba fosse pequena demais para Rômulo e que ele fosse abandonado ao nascer para que deviesse o Rei de Roma e o fundador desta Pátria[43]. Fora preciso que Ciro encontrasse os persas descontentes com o Império dos medas, e os medas enfraquecidos e amolecidos por uma paz demasiado longa. Teseu não teria podido demonstrar as suas virtudes não houvesse achado dispersos os atenienses. Portanto, essas ocasiões propiciaram o êxito desses homens cuja excelência das virtudes pessoais permitiu que daquelas pudessem-se valer, origem da glória e do esplendor das suas Pátrias.

Aqueles que, como os que mencionei, fazem-se príncipes mercê das suas virtudes conquistam com dificuldade os seus principados, mas com facilidade os podem conservar. As dificuldades que enfrentam para firmar-se nascem, em parte, dos novos ordenamentos e sistemas de governo que veem-se forçados a introduzir e que alicerçam os seus Estados e a sua segurança. Deve-se ainda considerar que não há coisa mais difícil a tratar, nem mais incerta a alcançar, nem mais arriscada a gerir que a efetiva introdução de uma nova ordem, porquanto aquele que a introduz terá por inimigos todos os que da velha ordem extraíam privilégios e por tímidos defensores todos os que das vantagens da nova poderiam usufruir. Essa timidez advém, em parte, do medo que lhes inspiram os adversários, os quais têm as leis a seu favor, e, noutra parte, da incredulidade dos homens que duvidam verdadeiramente do que é novo quando não o veem dimanar de uma experiência convincente. Disto resulta que, cada vez que aqueles do campo inimigo têm a ocasião de atacar, eles o fazem ferreamente, ao passo que os outros defendem-se com tepidez. Com tais partidários, nada está seguro.

Para que se esclareça este ponto, é necessário,

portanto, que se leve em conta se estes proponentes de mudanças apoiam-se em suas próprias forças ou se dependem das de outrem, isto é, se, para levar a efeito a sua obra, têm de apelar para terceiros ou se podem impor a própria força. Neste primeiro caso, eles sempre terminam mal e não chegam a lugar algum; porém, quando dependem unicamente de si mesmos e podem empregar a força, então é raro que corram demasiados riscos. Daí decorre que todos os profetas armados foram vitoriosos e que os desarmados sofreram derrotas. E isto porque, além das coisas já ditas, a natureza dos povos é mutável, e, se é fácil persuadi-los de algo, é difícil perpetuá-los nesta persuasão. Eis a razão da conveniência em instaurar-se uma ordem tal que, ao serem estes povos tomados pela descrença, possa-se fazê-los *crer* à força.

Moisés, Ciro, Teseu e Rômulo não teriam podido fazer com que as suas leis fossem por tanto tempo respeitadas caso se houvessem apresentado sem armas, como coetaneamente ocorreu com o irmão Gerolamo Savonarola[44], o qual sucumbiu sob os seus novos preceitos assim que a multidão passou a descrer da sua palavra, porquanto ele não dispunha de meios para conservar irredutível a adesão daqueles que nele haviam-se fiado, nem para conquistar a confiança dos cépticos. Assim, homens como ele enfrentam grandes dificuldades no conduzir-se: todos os perigos interpõem-se em seu caminho, perigos que eles, com as suas virtudes pessoais, têm de superar. Por outro lado, uma vez estes superados, tais homens – passando a merecer a veneração popular e havendo liquidado aqueles que poderiam alimentar inveja da sua condição – tornam-se poderosos, inabaláveis, respeitados e triunfantes.

A exemplos tão grandiosos quero ajuntar um exemplo menor, que porém com aqueles guardará uma certa equivalência, esperando que valha por todos os outros de igual dimensão: refiro-me a Hierão[45]. Este, de simples particular, tornou-se Príncipe de Siracusa. Também ele nada recebera da fortuna senão a *ocasião* de vencer: os siracusanos, oprimidos que se encontravam, elegeram-no o seu capitão, e foi então que ele deu provas de merecer a dignidade de príncipe. *Etiam* pessoa comum, fora homem de tão notáveis virtudes, que dele chegou-se a escrever *quod nihil illi deerat ad regnandum praeter regnum*[46]. Hierão suprimiu a velha milícia, organizou uma nova; afastou-se das antigas e fez novas amizades, e, assim, com amigos e soldados da sua inteira confiança, fincou as bases sobre as quais pôde erguer a sua obra [política e militar]. Foi a muito custo que conquistou a sua posição, mas facilmente a pôde conservar.

VII

Dos novos principados conquistados pelas
armas de outrem e pela fortuna

*De principatibus novis qui alienis armis
et fortuna acquiruntur*

Aqueles que, mercê simplesmente da fortuna, passam de simples cidadãos à condição de príncipes, é com pouca dificuldade que a alcançam mas com muita que a mantêm: não enfrentam obstáculos ao longo da estrada, visto que voam; porém, todas as provações sobrevêm à sua investidura. Príncipes, estes só o são quando a eles um Estado é concedido, seja por um interesse pecuniário, seja pela boa graça de quem o concede. Foi desta forma que sucedeu a muitos na Grécia, nas cidades da Iônia e do Helesponto, onde príncipes foram feitos por Dario a fim de que estes as administrassem para a sua segurança e para a sua glória. Também assim foram feitos aqueles imperadores [romanos] que, homens da esfera privada, subiram ao trono corrompendo soldados[47].

Estes príncipes têm como sustentáculos da sua dignidade tão somente a boa vontade e a condição (*fortuna*) de quem lhes concedeu o título; vale dizer, duas coisas volubilíssimas e instáveis. A sua posição, nenhum deles saberá ou poderá conservar: não saberá, porquanto, em não se tratando de um homem de grande talento e predicados (*virtù*), não é de se esperar que, havendo sempre vivido em sua condição de homem da esfera privada, ele saiba comandar [o povo, o Estado]; e não poderá, porque não dispõe das forças que poderiam fielmente apoiá-lo. Ademais, Estados que surgem em pouco tempo, como todas as outras coisas da natureza que nascem e crescem rapidamente, não podem ter as suas raízes e as suas ramificações, de sorte que a primeira intempérie poderá arrasá-los; a menos que, como já referi, estes que tão repentinamente tornaram-se príncipes possuam tamanha virtude que saibam sem detença preparar-se para conservar o que a fortuna colocou em suas mãos, e que, após a sua acessão, assentem – como outros antes dela o teriam feito – as bases do seu poder.

Quero a um e a outro desses ditos modos de fazer-se príncipe – por virtude ou por fortuna – adir dois exemplos retidos pela nossa memória, e estes são o de Francesco Sforza e o de César Bórgia. Francesco, com sua grande qualidade pessoal (*virtù*) e com recurso das próprias forças, de simples cidadão tornou-se Duque de Milão, e aquilo que a duras penas conquistara pôde facilmente conservar. De outra parte, César Bórgia, vulgarmente chamado Duque *Valentino*, obteve o Estado graças à condição (*fortuna*) de seu pai, com a qual o perdeu, embora tudo houvesse feito e tudo houvesse tentado no sentido de conduzir-se como um homem virtuoso e prudente que deita as suas raízes nas terras que as armas e a fortuna alheias lhe outorgaram. Isto porque, como acima foi dito, quem, de uma forma preliminar, não assentou as bases do seu poder, pode, com grande gênio (*virtù*), fazê-lo depois da sua acessão, ainda que este fazer implique dificuldades para o arquiteto e riscos para a obra. Assim, se observarmos todos os progressos desse Duque, constataremos que ele fixou sólidas bases para a perenidade do seu poder; bases sobre as quais não considero supérfluo discorrer, até porque não saberia que outros e melhores preceitos dar a um novo príncipe que o exemplo das suas ações. De resto, se a sua política não o premiou com melhores resultados não foi por culpa sua, mas decorrência de uma extrema e extraordinária má sorte.

No caminho do Papa Alexandre VI – sequioso de erigir a grandeza do Duque, seu filho –, aos muitos obstáculos do presente sobrevirão os do futuro. O primeiro deles consistiu em não encontrar os meios de poder fazer o Duque senhor de quaisquer domínios que não fossem domínios eclesiásticos. Ele sabia que, se tentasse açambarcar o que pertencia à Igreja, os venezianos e o Duque de Milão não o consentiriam, uma vez que Faenza e Rímini já se achavam sob a proteção dos primeiros. Além disso, percebia que as forças da Itália, especialmente aquelas das quais poderia lançar mão, estavam sob as ordens daqueles que viam com maus olhos o seu poder papal, razão pela qual nelas não podia fiar-se, todas estando do lado dos Orsini, dos Colonna e dos seus comparsas[48]. Por conseguinte, era necessário que aquela ordem fosse subvertida e que os Estados controlados por aquelas famílias fossem sublevados, a fim de que uma parte deles pudesse ser seguramente tomada. Nada disso será difícil, pois que Alexandre terá a seu lado os venezianos, os quais, movidos por outras razões, ousarão promover a entrada dos franceses na Itália. Este ingresso, não somente não terá a sua objeção, mas será facilitado com a anulação do primeiro casamento do Rei Luís[49].

Assim, o Rei [da França] entrou na Itália com a ajuda dos venezianos e o consentimento de Alexandre. Tão logo o primeiro ingressara em Milão, o Papa recebeu um destacamento dos seus soldados para que investisse contra a Romanha (Luís, em busca de prestígio, aprovara essa empresa). Após haver batido os Colonna e ocupado a Romanha, o Duque, para os seus intentos de conservá-la e de expandir os seus domínios, deparou com dois embaraços: um foi a sua milícia, que não lhe parecia digna de confiança; o outro, a vontade dos franceses. Vale dizer, ele receava que o exército dos Orsini – do qual se valera – pudesse retrair a sua adesão, não apenas impedindo-o de avançar em suas conquistas, mas despojando-o do que já conquistara. Temia, igualmente, que o Rei agisse nesse mesmo sentido. Quanto aos Orsini, o Papa fundou as suas desconfianças quando, após a tomada de Faenza, ao assaltar Bolonha, percebeu com que indolência aqueles homens lançavam-se ao ataque. No que tange ao Rei, Alexandre compreendeu a natureza das suas motivações da vez em que, tomado o Ducado de Urbino, investiu contra a Toscana, ocasião em que Luís fê-lo retroceder. Diante disso, o Duque decidiu que não mais dependeria, nem das milícias e nem da condição (*fortuna*) de outrem.

A primeira medida que adotou foi a de enfraquecer as facções dos Orsini e dos Colonna em Roma: cooptou todos os nobres sequazes destes, fazendo-os fidalgos seus, muito bem pagos, e conferindo-lhes, segundo as suas qualidades pessoais, as funções de *condottiere* ou de chefe de governo territorial, de forma que, em poucos meses, a lealdade daqueles aos seus senhores desvaiu-se e voltou-se toda em favor do Duque. Feito isso, e havendo já desbaratado os chefes da casa Colonna, esperou a ocasião de liquidar os da casa Orsini. Surgida a oportunidade, ele aproveitou-a com maestria. A prova: havendo os Orsini compreendido com demasiado retarde que o engrandecimento do Duque e da

Igreja significava a sua própria ruína, realizaram uma assembleia em Magione, nas cercanias de Perúgia, da qual resultaram a rebelião de Urbino, as agitações da Romanha e uma infinidade de reações ameaçadoras, as quais o Duque logrou superar, todas elas, com o auxílio dos franceses.

Havendo recuperado o seu prestígio e decidido a não mais se fiar, nem nos franceses, nem em outras forças estrangeiras – para não ter de, mais tarde, com elas medir forças –, recorreu à astúcia. E tão bem ele soube dissimular as suas motivações que os mesmos Orsini, por intermédio do Senhor Paolo [Orsini], reconciliaram-se consigo. Quanto a este homem, o Duque não poupou argumentos que pudessem persuadi-lo, oferecendo-lhe dinheiro, vestes e cavalos. Enfim, a credulidade dos Orsini impeliu-os na direção de Senigália, onde caíram em suas mãos[50]. Assassinados os chefes da família Orsini e arregimentados os seus partidários, o Duque lançava as sólidas bases do seu poder, controlando toda a Romanha e mais o Ducado de Urbino. Bórgia, sobretudo, acreditava que a Romanha passara-se para o seu lado, como cria haver conquistado aquelas populações, as quais começavam a desfrutar de um certo bem-estar.

Porque estes fatos merecem ser conhecidos de todos e a tantos servir como exemplo, não quero deixar de mencioná-los. Havendo ocupado a Romanha, e encontrando-a mal governada por senhores sem um efetivo poder – os quais haviam muito mais espoliado os seus súditos que exercido a sua administração, dando a estes razões para que vivessem na discórdia e não em coesão, a ponto de aquelas terras acharem-se assoladas por latrocínios, por arruaças e pelos mais diversos estopins da desordem –, o Duque julgou que seria necessário, para coagi-la a viver em paz e na obediência ao braço régio, dar a ela um bom governo. Para tanto, ele prepôs o Senhor Remirro de Orco[51], homem cruel e expedito, ao qual conferiu plenos poderes. Este, em pouco tempo, restabeleceu a paz e a união naquele país, angariando um imenso prestígio. Mais adiante, considerando que poderia prescindir de uma tão draconiana autoridade e temendo que esta se tornasse odiosa, o Duque instaurou um tribunal civil[52] no centro da província – presidido por um homem ilibado e ilustre – no qual cada cidade possuía o seu advogado. E porquanto sabia que os rigores do passado haviam-lhe valido um certo ressentimento popular, para desarmar os espíritos daquela gente e conquistá-la em definitivo quis mostrar que, se alguma crueldade fora cometida, ela não partira de si, mas da natureza acerba do seu ministro. E, valendo-se dessa polêmica, fez com que, certa manhã, numa praça pública de Cesena, cortassem Remirro em dois pedaços. Os despojos ficaram ali, com um cepo e uma faca ensanguentada ao seu lado. A ferocidade desse espetáculo deixou o povo a um só tempo satisfeito e estupefato[53].

Mas retornemos ao ponto de onde partíramos. Noto que, ao reconhecer-se extremamente forte e, em parte, a salvo dos perigos então presentes – por ter-se armado conforme quisera e dizimado parcela considerável das sempre ameaçadoras milícias vizinhas –, restava ao Duque, para o bom prosseguimento das suas conquistas, fazer conta do Rei da França; afinal, ele previa que este, que tarde apercebera-se do seu próprio equívoco, doravante ser-lhe-ia hostil. Começou, então, a cercar-se de novos aliados, desapoiando a França quando da incursão dos franceses no Reino de Nápoles contra os espanhóis que sitiavam Gaeta[54]. O seu intento era o de fortalecer-se face àqueles, o que, com o Papa Alexandre vivo, em pouco tempo ele teria conseguido.

E tal foi a sua política no tocante à situação daqueles dias.

Quanto ao futuro, entretanto, Bórgia tinha de preocupar-se, antes de mais nada, com a eventualidade de que um novo Pontífice Romano não lhe tivesse amizade e de que tentasse despojá-lo do que lhe legara Alexandre. Contra isso, pensou garantir-se de quatro maneiras: primeiramente, aniquilando toda a descendência daqueles senhores que ele espoliara, assim tolhendo ao Papa a possibilidade de restabelecê-los; em segundo lugar, aliciando todos os fidalgos romanos, como foi dito, para por meio deles poder suster os avanços deste Papa; uma terceira medida, trazendo para o seu lado o maior número possível de membros do Colégio Cardinalício; finalmente, e antes que o [atual] Papa falecesse, expandindo o seu poder imperial de um modo que, contando apenas consigo mesmo, pudesse resistir aos primeiros ataques que fatalmente viriam. Dessas quatro ações, quando da morte de Alexandre, três ele já levara completamente a efeito e a quarta estava praticamente concluída: dos senhores que havia espoliado, matou todos os que pôde encontrar e pouquíssimos escaparam; os fidalgos romanos, ele os aliciara, e uma bem considerável quantidade de cardeais tornaram-se-lhe adeptos. Quanto às novas conquistas, havia projetado devenir o senhor da Toscana, possuía já Perúgia e Piombino e fizera-se o protetor de Pisa.

Desobrigado a fazer conta da França (obrigação que perdera o porquê, visto que os franceses já haviam sido expulsos do Reino [de Nápoles] pelos espanhóis, de sorte que tanto uns quanto os outros viam-se na necessidade de comprar a sua amizade), tornara-se iminente a sua tomada de Pisa. Depois disso, Luca e Siena não tardariam a cair em suas mãos, em parte pelo ódio que os de lá nutriam dos florentinos, e em parte por medo. Os florentinos, estes, não teriam remissão. Houvesse logrado êxito (e êxito ia obter no exato ano da morte do Papa Alexandre), César Bórgia teria reunido forças tão poderosas e granjeado tamanho prestígio que, de um modo autônomo, haveria podido sustentar-se sem mais depender da condição (*fortuna*) e das forças alheias, mas tão somente das suas capacidades (*virtù*) e poder. Mas Alexandre finou-se cinco anos depois que o Duque passara a desembainhar a espada. Deixou-lhe a Romanha como único domínio consolidado; todos os outros em situação pendente, entre dois poderosíssimos exércitos inimigos, e ele, morbidamente enfermo[55].

Era o caráter do Duque tão combativo e tão virtuoso, e tão bem ele sabia como influir sobre a fortuna dos homens, e tão sólidos eram os alicerces que naquele curto período fundara, que, se não tivesse contra si aqueles dois exércitos, ou gozasse ele de boa saúde, haveria superado todas as dificuldades. E pôde-se constatar o quão bem assentados estavam os alicerces do seu poder: a Romanha esperou-o por mais de um mês; em Roma, não fez-se alvo de quaisquer ameaças, e, embora lá houvessem acorrido Baglioni, Vitelli e Orsini, estes contra ele nada ousaram. Se não pôde ver entronizado Papa aquele que ele queria, pelo menos impediu que se entronizasse um que ele não queria. Com efeito, não houvesse-lhe faltado a saúde quando da desaparição de Alexandre, tudo para Bórgia teria sido fácil. E a mim mesmo ele disse, no dia da morte de Júlio II[56], haver cogitado o que poderia sobrevir à morte de seu pai, e que para tudo previra uma solução, exceto que jamais cogitara que, no dia dessa morte, ele próprio encontrar-se-ia moribundo.

Após haver coligido e avaliado todas as ações do Duque, eu não saberia repreendê-lo; pelo contrário, parece-me justo – conforme fiz – propô-lo como um modelo a todos aqueles que, mercê da fortuna e com armas alheias, ascenderam a um poder assim imperial. Com a sua grandeza de espírito e as suas altas ambições, não podia conduzir-se de outra forma, e nada senão a curta vida de Alexandre e a sua própria moléstia contrapôs-se aos seus desígnios. Quem, portanto, julgar necessário, para o bem do seu nascente principado, garanti-lo contra os seus inimigos, vencendo-os pela força ou fraudulentamente; fazer novos aliados; fazer-se benquisto ou temido pelo povo, acatado e respeitado pelos soldados; liquidar aqueles que poderão ou deverão agir em seu prejuízo; inovar com novos hábitos as usanças antigas; demonstrar severidade e gratidão, magnanimidade e liberalidade; dizimar as milícias infiéis e instituir uma nova; conservar a amizade dos reis e dos príncipes, de modo a que estes lhe sejam de bom grado prestadios ou que o afrontem com respeito, não poderá encontrar exemplos mais atuais que os das ações desse Duque.

Podemos, todavia, imputar-lhe a acessão de Júlio ao trono de S. Pedro: uma infeliz escolha de sua parte, porquanto, como foi dito, não podendo fazer o Papa da sua predileção, tinha ainda o poder de veto nesta eleição, e jamais deveria ter consentido em que se elevasse ao pontificado um daqueles cardeais que ele ofendera e que, fazendo-se Papa, tivesse razões para querê-lo à distância: os homens, afinal, atentam contra os outros homens ou por ódio ou por medo. Entre outros que Bórgia havia melindrado achavam-se *San Piero ad Vincula*, Colonna, *San Giorgio* e Ascânio[57]. Também os demais, todos eles, houvessem sido eleitos, teriam motivos para temê-lo, exceto [o Cardeal de] Ruão e os espanhóis; estes, devido a uma aliança e a certos compromissos; aquele, mercê do seu poder, tendo a respaldá-lo todo o Reino da França. Portanto, o Duque, antes de tudo, deveria ter forçado a eleição de um Papa espanhol, e, em não logrando êxito, deveria ter aceito a candidatura [do Cardeal] de Ruão e não a de *San Piero ad Vincula*. E quem acredita que, no que respeita aos grandes personagens, os favores recentes fazem esquecer os velhos agravos, engana-se. Assim, enganou-se o Duque por ocasião desta eleição, constituindo-se no causador da sua própria e definitiva ruína[58].

VIII

Dos que se fizeram príncipes mercê das suas atrocidades

De his qui per scelera ad principatum pervenere

Porquanto existem ainda duas formas de passar-se da condição de cidadão comum à de príncipe sem que a tal passagem possamos atribuir apenas a influência da fortuna ou da virtude, não me parece correto pô-las de lado, conquanto sobre uma delas possamos arrazoar mais detidamente quando tratarmos das repúblicas[59]. Quanto a estas formas de ascensão ao principado, uma delas está nalguma via criminosa e atroz; a outra, quando um simples cidadão, com o apoio dos seus compatriotas, torna-se príncipe do seu país. Tratando da primeira forma, esta será apresentada através de dois exemplos: um, antigo; o outro, destes tempos que correm, sem que se entre demasiado em seu mérito particular, pois que, creio eu, àquele que deles necessitar bastará imitá-los.

De uma condição (*fortuna*) não apenas privada (era filho de um oleiro) mas baixa e abjeta, Agátocles Siciliano tornou-se Rei de Siracusa. Desde a infância até a idade adulta, levou sempre uma vida celerada. No entanto, de par com as suas atrocidades, mostrava tamanhos dotes (*virtù*) de corpo e de mente, que, aplicando-se às tarefas da milícia, de promoção em promoção, chegou a ser o comandante-em-chefe desta cidade. Após haver-se firmado nesse posto, pôs na cabeça a obstinada ideia de tornar-se príncipe, mantendo pela força – e não tomando compromisso com ninguém – aquilo que lhe fora consensualmente concedido. Neste propósito, acumpliciou-se com Amílcar Cartaginês, cujos exércitos guerreavam contra a Sicília. Certa manhã, Agátocles reuniu o povo e o senado de Siracusa como se quisesse com eles deliberar sobre questões pertinentes à República. Então, com um sinal previamente combinado, ordenou aos seus soldados que chacinassem todos os senadores e os mais ricos cidadãos. Mortos esses, ele ocupou e manteve-se no poder daquela urbe sem nenhuma oposição civil. Não obstante haja sido por duas vezes batido e *demum* encurralado pelos cartagineses, ele *non solum* logrou defender Siracusa, mas, deixando uma parte dos seus homens a defendê-la dos sitiantes, com outra parte atacou a África, não tardando a libertar a cidade do cerco e infligindo aos cartagineses uma tão miserável situação, que estes tiveram de com ele negociar, contentando-se enfim com os seus domínios na África e franqueando-lhe a Sicília.

Assim, quem atentar para as ações e para a trajetória de Agátocles nada verá, ou muito pouco, que possa ser atribuído ao acaso (*fortuna*), porquanto, como acima se disse, foi galgando os escalões da milícia, mercê de sacrifícios pessoais e de perigosos enfrentamentos, e não dos favores de alguém, que deu-se a sua ascensão ao principado – no qual, depois, manteve-se graças a muitas decisões corajosas e arriscadas. Contudo, assassinar os seus concidadãos, trair os seus amigos, renegar a fé, a piedade, a religião não são ações que possamos chamar de "virtuosas". Por esses meios pode-se conquistar o poder, mas não a glória. Com efeito, se considerarmos as qualidades (*virtù*) de Agátocles, ao encarar e ao contornar os perigos, e a amplidão da sua coragem, ao sofrer e ao superar as adversidades, não veremos razões para que seja julgado inferior a qualquer outro insigne capitão. Sem embargo, as suas selvagens crueldade e desumanidade – origem de incalculáveis atrocidades – não nos permitem incluí-lo entre os notáveis homens que celebrizamos. Que não se impute, pois, à fortuna ou à virtude as conquistas que realizou sem uma e sem a outra.

Em nossos dias, ao tempo do pontificado de Alexandre VI, Oliverotto da Fermo[60], havendo perdido o pai em sua infância, fora educado por um tio materno chamado Giovanni Fogliani, e, em sua primeira juventude, serviu à milícia sob Paolo Vitelli[61], para que nela, imbuído da sua disciplina, chegasse a alcançar algum alto posto. Com a morte de Paulo, militou sob o comando do seu irmão, Vitellozzo, e, em brevíssimo tempo, arguto como era, vigoroso de corpo e de espírito, tornou-se o primeiro homem entre os seus pares. Porém, parecendo-lhe coisa servil acomodar-se ali com os outros soldados, planejou ocupar Fermo, no que contaria com o auxílio de alguns moradores do lugar – para os quais mais valia a servidão que a liberdade do seu solo pátrio – e com o favor dos Vitelli. E escreveu a Giovanni Fogliani, dizendo-lhe da sua vontade de rever o tio e a sua cidade, e de reconhecer, por assim dizer, o seu patrimônio; ele que, fazia muitos anos, encontrava-se longe de casa. Pois que jamais diligenciara por outra causa que não a da sua própria glória, e a fim de que os seus conterrâneos vissem o quanto ele não consumira em vão o seu tempo, desejou voltar com grande pompa, acompanhado de cem cavaleiros, entre amigos e servidores, rogando ao tio a boa vontade de ordenar ao povo de Fermo que este o recebesse como a um grande, o que dignificaria não somente a sua pessoa mas a do próprio Fogliani, que o havia educado.

Giovanni Fogliani não se eximiu de prestar qualquer obséquio ao seu sobrinho, e fez com que a gente de Fermo acolhesse-o condignamente. Oliverotto hospedou-se na casa do tio, e lá, havendo preparado secretamente o necessário à execução das suas atrozes intenções, ofereceu um magnífico banquete, para o qual convidou, evidentemente, Giovanni Fogliani e a nata dos homens importantes de Fermo. Terminado o repasto, bem como todos os outros entretenimentos que de praxe constam de festins desse gênero, Oliverotto, astuciosamente, passou a defender algumas ideias gravemente controversas, exaltando a grandeza do Papa Alexandre, a do seu filho César, bem como a das suas realizações. Pois que Giovanni e os demais retorquiam àqueles juízos, ele não demorou a levantar-se, dizendo que tais eram assuntos a serem tratados em local mais reservado, e instalou-se numa peça à parte, no que foi seguido pelo tio e pelos demais cidadãos. Mal estes se haviam acomodado, saíram dos seus esconderijos soldados que os abateram mortalmente, Giovanni e todos os outros.

Após esse morticínio, Oliverotto montou a cavalo, correu pela cidade e sitiou no palácio o Magistrado Supremo, de modo que, aterrorizadas, as lideranças de Fermo viram-se coagidas a obedecê-lo e a instaurar um governo do qual ele se fez o chefe. Havendo também eliminado todos aqueles possíveis descontentes que poderiam vir a fazer-lhe oposição, corroborou o seu poder com novas leis civis e militares, de modo que, no espaço de um ano, como senhor de Fermo, não somente solidificou o seu poder na cidade, mas tornou-se temível aos olhos de todos os seus vizinhos. E teria sido difícil a sua extrusão, como aquela de Agátocles, não se houvesse ele deixado enganar por César Bórgia, em Senigália, quando, como contamos acima, foram salteados os Orsini e os Vitelli. Foi então que, capturado também ele, passado um ano do parricídio que perpetrara, acabou estrangulado juntamente com Vitellozzo, o qual tinha por mestre das suas habilidades (*virtù*) e das suas atrocidades.

Poderia alguém perguntar-se de onde advém que Agátocles, como certos personagens congêneres, havendo praticado um sem-número de traições e de ações cruéis, pudera viver por tanto tempo em segurança em seu país, defendendo-se dos inimigos externos e não sendo jamais o alvo de conspirações internas, dado que muitos outros, usando de crueldade, não puderam *etiam* em tempo de paz manter os seus Estados – isto para não falarmos nos tempos instáveis da guerra. Penso que isso resulta do bom ou do mau uso da crueldade. Crueldades proveitosas (se é lícito tecer elogios ao mal) pode-se chamar aquelas das quais faz-se uso uma única vez – por necessidade de segurança –, um uso no qual não mais se insiste e cujos efeitos revertem tanto quanto possível em favor dos súditos. Contraproducentes são aquelas que, embora pouco profusas nos primeiros tempos, vão paulatinamente avolumando-se ao invés de minguarem. Quanto a esses dois usos da crueldade, aqueles que se valem do primeiro podem, com a ajuda de Deus e dos homens, dar alguma vazão às demandas do seu governo, como ocorreu no caso de Agátocles; os outros, é impossível que possam sustentar-se.

Do dito acima, aprendemos que, ao tomar um país, deve aquele que o ocupa levar a efeito todas as violências necessárias e praticá-las de uma só vez para não ter de renová-las a cada dia: assim, isentando-se de reproduzi-las, poderá inspirar confiança aos homens e, fazendo-lhes o bem, conquistar a sua simpatia. Aquele que proceder diversamente, seja por temor, seja por imprudência, precisará sempre trazer uma faca em punho, e jamais poderá fiar-se no apoio dos seus súditos, que tampouco poderão fiar-se nele, em face dos reiterados e constantes abusos. O mal, portanto, deve-se fazê-lo de um jacto, de modo a que a fugacidade do seu acre sabor faça fugaz a dor que ele traz. O bem, ao contrário, deve-se concedê-lo pouco a pouco, para que seja melhor apreciado o seu gosto. Na qualidade de príncipe, deverás, sobretudo, relacionar-te com os teus súditos de um modo tal que nenhum acidente, positivo ou negativo, deva obrigar-te a alterar a tua conduta: ora, quando ventos adversos te trouxerem a necessidade, já não poderás infligir o mal, e do bem que farás não tirarás proveito, pois nele verão um gesto forçado, indigno da menor gratidão.

IX

Do principado civil
De principatu civili

No que tange ao outro caso, aquele de um cidadão comum que, não com brutalidade ou por alguma intolerável violência, mas com o apoio dos seus concidadãos, torna-se o soberano da sua pátria – e esta podemos chamar um "principado civil", à chefia do qual não se ascende necessariamente com o concurso de todas as virtudes ou com o concurso de todas as condições favoráveis (*fortuna*) mas, antes, com uma venturosa astúcia –, eu assevero que uma tal ascensão dependerá ou do apoio do povo, ou do apoio dos poderosos. Isto porque em qualquer cidade se encontram estas duas disposições contrárias, as quais decorrem de que o povo não deseja ser comandado nem oprimido pelos grandes e de que estes desejam exatamente o inverso. Desses dois apetites contrários advém nas cidades um destes três efeitos: ou um governo (*principato*) forte, ou liberdade, ou desordem.

O governo emanará do povo ou dos poderosos, conforme as ocasionais possibilidades de um ou de outros: os grandes, em não podendo visivelmente resistir ao povo, começam a firmar a reputação de um dos seus, e fazem-no príncipe para que, à sua sombra, possam saciar seu apetite. O povo, por sua vez, sentindo-se impotente frente aos grandes, põe-se a prestigiar um homem e aclama-o príncipe para que este, com sua autoridade, o proteja. Aquele que foi alçado em príncipe com a ajuda dos grandes mantém-se com mais dificuldade que aquele que o foi com o apoio popular, visto que o primeiro acha-se cercado de muitos que se lhe assemelham, não podendo, por isso, nem comandá-los, nem manobrá-los à sua guisa.

Todavia, aquele que se eleva ao principado com o favor popular encontra-se sozinho e, à sua roda, ninguém ou pouquíssimos não estarão dispostos a obedecer-lhe. Além disso, não se pode honestamente satisfazer aos grandes sem atentar contra os demais, mas ao povo sim: é que os anseios do povo são mais legítimos que aqueles dos poderosos, porquanto estes tencionam oprimir e aqueles furtar-se à opressão. *Praeterea* jamais poderia um príncipe sentir-se seguro quando os homens do povo lhe são hostis, porquanto estes são muitos. A hostilidade dos grandes, porém, não o fará estremecer, visto que estes são poucos. O pior que um príncipe pode esperar de um povo que lhe é adverso é vir a ser por esse povo abandonado; mas dos inimigos graúdos tem de temer não apenas que eles o desamparem mas *etiam* que eles o afrontem, uma vez que, mais astuciosos como são e enxergando mais longe, jamais perdem tempo em sua salvaguarda e procuram a simpatia de um outro que esperam ver vitorioso[62]. Ademais, se, por um lado, é sempre o mesmo povo aquele com o qual o príncipe deve permanentemente conviver, por outro, ele pode dispensar-se dos graúdos de sempre, porquanto pode fazê-los e desfazê-los a qualquer hora, dando-lhes ou retirando-lhes a influência a seu bel-prazer.

E, para melhor esclarecer este ponto, direi que os grandes devem ser considerados principalmente de duas maneiras: ou eles pautam a sua conduta de um modo a vinculá-la inteiramente à tua fortuna, ou assim não o fazem. Aqueles que afirmam esse vínculo, não sendo rapaces, devem ser respeitados e benquistos; os que não o afirmam, deves encará-los de duas maneiras: ou assim comportam-se por pusilanimidade ou natural covardia – e, nesse caso, deves servir-te deles, mormente daqueles que usam de sensatez, já que na prosperidade eles te honram e na adversidade não tens que temê-los – ou recusam esse vínculo por artimanha e por ambição – o que é sinal de que pensam mais neles que em ti –, e contra estes o príncipe deve precaver-se, e deve temê-los como se fossem inimigos declarados, porque sempre, na adversidade, concorrerão para a sua ruína.

Assim, um homem que eleva-se à condição de príncipe mediante o favor do povo deve a este manter-se aliado, o que lhe será fácil uma vez que o povo pede apenas para ser poupado da opressão. Mas aquele que contra o povo e com o patrocínio dos grandes se faz príncipe deve, antes de mais nada, procurar conquistar a simpatia daquele, o que facilmente logrará ao colocá-lo sob a sua proteção. E visto que os homens, ao receberem o bem daqueles de quem supunham poder receber apenas o mal, se mostram ainda mais gratos ao seu benfeitor, o povo logo o amará mais do que se, com o seu próprio apoio, o houvesse conduzido ao principado. E o príncipe poderá conquistá-lo de muitas formas, as quais, por variarem segundo o tema, não podemos dar numa única regra, razão pela qual serão deixadas de lado.

Concluirei dizendo apenas que a um príncipe é necessário ter o povo a seu lado e que de outro modo ele sucumbirá às adversidades. Nábis[63], príncipe dos espartanos, cercado por toda a Grécia e por um mui vitorioso exército romano, defendeu a sua pátria e o seu Estado, bastando-lhe, diante das ameaças, tomar cuidado com alguns poucos [internamente]. Tivesse ele então o povo contra si e apenas esse cuidado não lhe teria bastado. E que ninguém objete a esta minha opinião valendo-se daquele provérbio surrado segundo o qual "quem estriba-se no povo apoia-se no barro". Isto pode ser uma verdade no caso em que um simples cidadão baseia sobre este povo a sua salvaguarda e imagina que ele o possa libertar quando se encontrar acuado pelos seus inimigos ou pelos magistrados. É assim que, não raro, pode ele amargar uma decepção, como aconteceu em Roma com os Gracos e em Florença com *Messer*[64] Giorgio Scali[65]. Porém, se o príncipe que estriba-se no povo é um príncipe apto ao comando e homem de coragem; que não se atemoriza na adversidade; que não negligencia a tomada de outras precauções; que, pela sua bravura e pelas suas ordens, sustenta o ânimo coletivo, jamais será ele atraiçoado pelo povo; antes, perceberá haver nele fixado firmemente os seus alicerces.

Estes principados encontram-se em perigo quando se aprestam a converter-se de uma ordem civil em Estado absoluto: isto porque os príncipes em questão, ou governam personalisticamente, ou o fazem por intermédio de um corpo de magistrados. Neste segundo caso, a situação que vive um príncipe é mais frágil e mais arriscada já que ele depende inteiramente da vontade daqueles cidadãos que se acham investidos nessa magistratura, os quais, máxime em tempos difíceis, podem com grande facilidade arrebatar-lhe o Estado, seja declarando-lhe o antagonismo, seja faltando-lhe com a obediência. Afrontado desta forma, o príncipe já não estará em condições de retomar as rédeas do poder, pois que os cidadãos e os súditos habituados ao governo dos magistrados não demonstram, nestas terríveis circunstâncias, disposição a obedecer aos seus. E haverá sempre, nestes tempos de incerteza, um mínimo de pessoas com as quais ele poderá contar. É que um tal príncipe não pode fundar-se naquilo que vê em tempos mansos, tempos em que os cidadãos necessitam do Estado, porque então todos acorrem em seu favor, todos prometem e todos, com a morte bem distante, querem por ele sacrificar-se. No entanto, é na adversidade, quando o Estado necessita dos cidadãos, que raros deles se fazem presentes. De resto, são ainda maiores os riscos dessa experiência na medida em que ela não é realizável mais do que uma única vez. Por isso, um príncipe cauteloso deve conceber um modo pelo qual os seus cidadãos, sempre e em qualquer situação, percebam que ele e o Estado lhes são indispensáveis. Só então aqueles ser-lhe-ão sempre fiéis.

X

De que modo devemos medir as forças de todos os principados

Quomodo omnium principatuum vires perpendi debeant

No exame das características destes principados, convém tomar uma outra em consideração: trata-se de saber se o Estado regido pelo príncipe é grande o bastante para poder, em caso de necessidade, defender-se com as suas próprias forças, ou se efetivamente carece da proteção de outrem. E, para que não pairem dúvidas sobre esta questão, afirmo que, a meu juízo, podem sustentar-se autonomamente aqueles que, por abundância de homens ou de dinheiro, são capazes de organizar adequadamente um exército e de arrostar uma batalha campal contra quem quer que venha atacá-los. Do mesmo modo, julgo dependentes de outrem aqueles que não podem em campo aberto enfrentar o inimigo, precisando refugiar-se no interior das suas muralhas, as quais devem vigiar. Exposto que foi o primeiro caso, falaremos mais adiante das medidas que se lhe impõem. Quanto ao segundo caso, nada mais se pode dizer além de exortar estes príncipes a que fortifiquem e a que aprovisionem as suas cidades, desconsiderando por completo o restante do território. Aquele que houver corretamente fortificado a sua cidade – e que, quanto às suas relações com os súditos, houver-se comportado como acima se disse e ainda abaixo se dirá – não será jamais atacado sem uma longa e preliminar reflexão do seu inimigo, uma vez que os homens são sempre pouco propensos às empresas que prometem dificuldades e não se pode ver facilidades no ataque a um príncipe cujos redutos são sólidos e que, ademais, não tem contra si o ódio do povo.

As cidades da Alemanha são absolutamente livres: cercadas por pequenas campanhas, elas obedecem ao Imperador quando bom lhes parece, não o temem, como não temem nenhum dos seus poderosos vizinhos. A razão disso é que elas se acham de um tal modo fortificadas que todos se convencem de que a sua expugnação deve ser tarefa cansativa e difícil: todas contam com fossas e com muros de adequadas dimensões, têm artilharia suficiente e possuem sempre em seus celeiros públicos provisões de comestíveis, de bebidas e de combustíveis bastantes para um ano. Além disso, para poder manter a plebe bem nutrida e sem que isso acarrete perda para os cofres públicos, a comunidade tem, igualmente por um ano, a possibilidade de ocupá-la naqueles trabalhos que são o nervo e a vida de uma cidade, e pelo exercício dos quais esta plebe garante a sua subsistência. Enfim, elas atribuem uma considerável importância às atividades militares, e, no que concerne a estas, possuem uma boa estrutura mantenedora.

Dissuade todo e qualquer ataque o príncipe que tem sob a sua regência uma cidade forte e em cujo interior não é ele um alvo de ressentimentos, de tal sorte que aquele que ainda assim ousar atacá-lo acabará cedo ou tarde constrangido a bater em vergonhosa retirada; afinal, em realidade, os acontecimentos da vida das nações são tão dinâmicos que nenhum homem poderia manter os seus exércitos por um ano ociosos no cerco de uma cidade. E a quem replicar que o povo não suportaria ver serem queimadas as suas terras no exterior das muralhas e que o longo sítio e uma autocomiseração o fariam esquecer o seu príncipe, eu respondo que um príncipe forte e valoroso superará sempre todas essas dificuldades, ora levando aos súditos a esperança de que o mal não perdurará, ora fazendo-os recear a crueldade do inimigo, ora ainda precavendo-se habilmente contra aqueles que [entre os seus] lhe pareçam demasiado temerários. Ademais, é razoável que o inimigo procure incendiar e arrasar o país imediatamente à sua chegada, enquanto se mostra ainda ardente a combatividade dos homens que se empenham em defender-se [sic]. O príncipe, em vista disso, terá cada vez menos razões para temer: passados alguns dias, ao arrefecerem-se os ânimos, todos os prejuízos já estarão consumados, todos os males sofridos e a situação não avançará. Então, muitos virão ao seu encontro. Estes entenderão que o soberano lhes deve um grande favor, afinal, fora pela sua defesa que o fogo tomara as suas casas e que a destruição se fizera em suas terras. Ora, é da natureza dos homens que eles confiram um grande mérito tanto aos favores que prestam quanto àqueles que recebem. Assim, isso tudo tomado em consideração, notamos que não seria difícil a um príncipe prudente sustar firmemente ao longo do tempo o ânimo dos seus cidadãos, contanto que, durante o cerco, não lhes faltassem nem víveres nem munições.

XI

Dos principados eclesiásticos
De principatibus ecclesiasticis

Agora, resta-nos apenas tratar dos principados eclesiásticos, acerca dos quais todas as dificuldades apresentam-se antes que deles se tenha a posse, pois que são conquistados ou graças à habilidade (*virtù*) ou em circunstâncias muito favoráveis (*fortuna*), e conservados sem aquela e independentemente destas, uma vez que se alicerçam em tradicionais instituições religiosas, cuja natureza e poder são tamanhos que elas sustentam os seus príncipes permanentemente no poder, sejam quais forem as suas formas de proceder e de viver. Somente estes podem dar-se ao luxo de não defender os territórios e de não governar os súditos que possuem. Os seus Estados, mesmo indefensos, não lhes são arrebatados, e os seus súditos, conquanto não sejam governados, não se preocupam com isso: não intentam deles subtrair-se e tampouco conseguiriam. Logo, somente esses principados têm uma existência segura e feliz.

Porém, sendo eles regidos por razões superiores àquelas que alcança o saber humano, abster-me-ei de comentá-las. Principados elevados e mantidos por Deus, seria presunção e temeridade de um homem explicá-los. No entanto, se alguém indagasse-me de onde advém que o poder temporal da Igreja tenha-se tornado tão grande – visto que, anteriormente ao Papa Alexandre, os potentados italianos (e *non solum* aqueles que eram chamados potentados, mas quaisquer anódinos barões e senhores) pouca importância davam a esse poder e que, agora, um Rei de França treme diante dele (vale dizer, diante de um Papa que pôde expulsá-lo da Itália e destroçar os venezianos) –, não me pareceria supérfluo, a despeito de tratar-se de coisa notória, rememorar boa parte desta história.

Antes que Carlos, Rei da França, entrasse na Itália[66], este país encontrava-se sob o domínio do Papa, dos venezianos, do Rei de Nápoles, do Duque de Milão e dos florentinos. Esses potentados deviam preocupar-se sobretudo com duas coisas: uma, que um estrangeiro não adentrasse a Itália à testa de um exército; a outra, que nenhum dos mencionados acima alargasse os seus domínios[67]. Aqueles que suscitavam maiores preocupações eram o Papa e os venezianos. Para refrear os venezianos, fazia-se imprescindível a união de todos, como finalmente ocorreu na defesa de Ferrara[68]. No intuito de reprimir os avanços do Papa, eles serviam-se dos barões de Roma, os quais, divididos em duas facções, Orsini e Colonna, tinham sempre, entre si, alguma razão para afrontar-se. Estes, empunhando armas nas barbas do pontífice, conspiravam contra o poder e a autoridade do papado, e, posto que de quando em vez subisse ao trono um Papa resoluto, como o foi Sisto[69], *tamen* nem a fortuna nem os seus saberes puderam eximi-los desse embaraço. A razão disso era a brevidade das suas vidas: possuindo o exercício pontifical uma duração média de dez anos, com enorme dificuldade lograva o Papa subjugar uma das duas facções – e caso, por exemplo, um deles chegasse perto de eliminar os Colonna, logo sucedia-lhe um outro, inimigo dos Orsini, que promovia o reerguimento daqueles mas que não vivia o bastante para liquidar o partido destes. Tudo isso fazia com que os poderes temporais do Papa fossem pouco considerados na Itália.

Sobreveio, então, Alexandre VI. De todos os pontífices da história, foi ele quem demonstrou o quanto poderia um Papa, com a força do dinheiro ou das armas, fazer-se prevalecente, realizando, ao valer-se do Duque *Valentino* e aproveitando-se do ingresso dos franceses na Itália, todas aquelas ações que discorri referindo-me a César Bórgia. E, se bem que não fosse o seu intento tornar mais poderosa a Igreja e sim o Duque, ainda assim a sua ação redundou num poder maior para o papado, o qual, após a sua morte e finado o Duque, se fez herdeiro dos frutos da sua pertinaz atividade. O Papa seguinte foi Júlio, que encontrou uma Igreja poderosa, detentora de toda a Romanha, com os barões romanos eliminados, e, vitimadas por Alexandre, as suas facções reduzidas a uma total inoperância. Encontrou também aberto o caminho para o acúmulo de dinheiro, jamais trilhado antes de Alexandre[70].

A essa política Júlio *non solum* deu prosseguimento mas aditou novas ações, idealizando a conquista de Bolonha, a derrocada dos venezianos e a extrusão dos franceses das terras italianas[71]. E todas essas ações foram coroadas de êxito, a sua glória resultando ainda maior na medida em que realizou-as pela grandeza da Igreja e não em prol de um homem. Ademais, ele manteve as facções dos Orsini e dos Colonna tal como as havia encontrado, e não obstante a presença entre elas de um ou outro chefe de bando capaz de revolucionar a situação[72], *tamen* duas coisas faziam com que eles nada ousassem: uma, o intimidador poderio da Igreja; a outra, o fato de verem-se privados dos seus Cardeais, origem dos seus litígios. Com efeito, a paz entre as facções jamais se faria enquanto a elas Cardeais estivessem vinculados: estes forçavam os barões a defendê-los, dentro e fora de Roma, alimentando a sua rivalidade. Entre estes, é da ambição daqueles prelados que nasciam a discórdia e os enfrentamentos. Sua Santidade, o Papa Leão, recebeu, então, um pontificado poderoso e espera-se que, se aqueles fizeram-no grande pela força das armas, este, armado de bondade e das suas inúmeras outras virtudes, faça-o ainda maior e venerável[73].

XII

Dos vários tipos de exército e dos
soldados mercenários

*Quot sint genera militiae et de
mercenariis militibus*

Após haver examinado um a um todos os gêneros de principado sobre os quais inicialmente tinha em vista tratar, considerado sob certos aspectos as causas que os fazem conhecer a boa sorte ou o malogro e mostrado as formas pelas quais muitos intentaram conquistá-los e conservá-los, ora resta-me discorrer genericamente o que pode suceder a cada um desses principados, quando atacam e quando se defendem. Dissemos acima o quão necessário é para um príncipe contar com sólidas bases, bases sem as quais torna-se inevitável a sua ruína. Os mais importantes alicerces de qualquer Estado, seja ele novo, velho ou ainda misto, são as boas leis e os bons exércitos. E, porque não podem viger boas leis lá onde não existem bons exércitos, e porque onde há bons exércitos convém que vigorem boas leis, abster-me-ei de falar sobre estas para privilegiar o exame daqueles.

Digo, neste caso, que as forças com as quais um príncipe defende o seu Estado, ou são as suas próprias forças ou são forças mercenárias; que são elas auxiliares ou que são elas mistas. As mercenárias e as auxiliares são inúteis e perigosas: aqueles aos quais as forças mercenárias servem de base na sustentação do seu governo jamais gozam de estabilidade e de segurança, pois que estas não são coesas, sendo, isto sim, ambiciosas, indisciplinadas e infiéis. Bravas entre os amigos, vis entre os inimigos, elas não temem a Deus nem são leais aos homens, e a tua derrota coincidirá com o teu primeiro ataque [no seu comando]. Em tempos de paz, tu serás por elas espoliado; em tempos de guerra, o serás [obviamente] pelos teus inimigos. A razão disso é que, a não ser por uma certa paga, essas forças não anseiam nem veem outro interesse em tomar parte nos conflitos, paga jamais suficiente para que se disponham a morrer por ti. Esses mercenários aceitam ser soldados teus enquanto não fazes a guerra, mas, tão logo esta inicie-se, seguem noutro rumo ou fogem.

Não deverei encontrar maiores dificuldades para provar o dito acima, visto que a ruína desta Itália tem como única causa o fato de haver-se ela baseado anos a fio em exércitos mercenários, milícias que, em dado momento, concorreram para a expansão de alguns Estados – e, umas contra as outras, dir-se-ia que atuavam com galhardia –, mas que mostraram a sua verdadeira face à chegada do estrangeiro. Daí, aliás, o porquê de Carlos, Rei da França, haver podido apossar-se da Itália com simples bastonetes de giz[74]. Não mentia aquele que pregava que na origem disso estavam os nossos próprios pecados[75], mas estes não eram aqueles que ele supunha e sim os que eu referi. E, porquanto eram os príncipes os pecadores, eles mesmos sofreram o devido castigo.

Quero demonstrar mais claramente a desgraça que representam essas milícias. Os capitães mercenários podem ou não ser excelentes milicianos. Quando o são, não podes ater-te a eles, já que aspirarão sempre à sua própria glória: te causarão agravo – tu, que és o seu senhor – ou agravarão outros, contra a tua vontade. Entretanto, se não possuírem virtudes militares, naturalmente te conduzirão à ruína. E, se objetarem-me que todo e qualquer homem no comando de tais forças age dessa forma, seja ele ou não um mercenário, replicarei que estas têm de ser chefiadas ou por um príncipe ou por uma república. O príncipe tem de comandá-las pessoalmente e assumir ele próprio os seus deveres de capitão; à república cumpre enviar um dos seus cidadãos para chefiá-las. Quando este não se mostra um bravo, ela deve substitui-lo; quando, ao contrário, prova sê-lo, deve refreá-lo com as leis para que ele não infrinja as regras do seu posto. Por experiência, notamos que somente os príncipes e os exércitos republicanos protagonizam grandes feitos e que as milícias mercenárias só fazem provocar prejuízos. Ademais, é com maiores dificuldades que sujeita-se uma república a obedecer a um dos seus cidadãos [em sua chefia militar] quando as milícias a ela pertencem, se a comparamos a uma outra, defendida por forças estrangeiras.

No curso de muitos séculos, Roma e Esparta viveram armadas e livres. Os suíços vivem extraordinariamente armados e extraordinariamente livres. Dos antigos exércitos mercenários, temos *in exemplis* o dos cartagineses, os quais, finda a primeira guerra contra os romanos, por pouco não tiveram contra si os seus soldados mercenários, a despeito de terem como comandantes os seus próprios cidadãos[76]. Após a morte de Epaminondas, os tebanos fizeram de Filipe da Macedônia o seu grande capitão. Consumada a vitória, ele próprio privou-lhes de liberdade. Os milaneses, com a morte do Duque Filipe, pagaram Francesco Sforza para que os comandasse contra os venezianos. Este, após haver derrotado os inimigos em Caravaggio, uniu-se aos mesmos, acometendo os milaneses aos quais servia[77]. E foi de súbito que [Muzio Attendolo] Sforza, o seu pai, a serviço da Rainha Joana, de Nápoles, desapossou-a do seu exército, o que a fez buscar desesperadamente o socorro do Rei de Aragão para que não acabasse despojada de todo o seu Reino[78].

Se, no passado, venezianos e florentinos expandiram os seus domínios valendo-se desse gênero de milícia, e se isto não bastou para que os seus capitães fizessem-se príncipes – capitães que, contrariando a regra, souberam defendê-los –, respondo que os florentinos, neste caso, foram muito favorecidos pela sorte, haja vista que, daqueles valorosos (*virtuosi*) capitães – aos quais teriam podido temer – alguns não conquistaram vitórias, outros depararam com certos obstáculos, e outros, ainda, voltaram as suas ambições para outras direções. Quem não conheceu a vitória foi Giovanni Acuto[79], razão pela qual nada sabemos sobre a sua lealdade, mas, segundo a opinião geral, houvesse ele vencido e os florentinos teriam vivido sob o seu discricional poder. Sforza [pai] teve sempre contra si os partidários de Braccio[80], os dois lados respeitando-se mutuamente: as ambições de Francesco fizeram-no voltar-se para a Lombardia; as de Braccio, contra a Igreja e o Reino de Nápoles. Mas observemos o que recentemente sucedeu. Os florentinos fizeram de Paulo Vitelli[81] o seu capitão, homem notavelmente judicioso que, como simples cidadão, auferira uma enorme reputação. Houvesse ele expugnado Pisa, toda gente florentina (ninguém o contestará) teria ficado obrigada a segui-lo. Ora imaginemos: Vitelli, passando para o campo dos seus inimigos, as agruras desse povo ter-se-iam tornado insolúveis; renovando-lhe o apoio, os florentinos teriam vivido sob a sua ditadura.

No que respeita aos venezianos, se repararmos nos desenvolvimentos da sua política, veremos que eles conduziram segura e gloriosamente as suas operações de guerra enquanto fizeram-na segundo a sua própria vocação (realidade anterior às suas empresas guerreiras em terra firme), num tempo em que, com os seus nobres e a sua plebe armados, comportaram-se da mais brava das formas (*virtuosissimamente*). Porém, no que passaram a combater em terra, eles perderam a sua armipotente qualidade (*virtù*), conformando-se aos costumes guerreiros da Itália. Nos começos da sua expansão, pelo fato de não possuírem vastos domínios e de desfrutarem de um alto conceito, os venezianos não tiveram muito o que temer quanto à atuação dos seus capitães. Todavia, ampliando-se o seu Estado – o que aconteceu sob a liderança de Carmignuola[82] –, obtiveram a prova do erro [que seria continuar nele confiando]. Reconhecendo-o como um homem de grande mérito (*virtuosissimo*) no passado, especialmente devido à vitória que tiveram sob o seu comando contra o Duque de Milão, mas constatando o presente arrefecer do seu ardor guerreiro (abandonara-o, afinal, o afã dos vencedores), concluíram que com ele as vitórias não mais adviriam. Não podendo arriscar numa exoneração aquilo que já haviam conquistado – antes, acautelando-se contra ele –, depreenderam a necessidade de eliminá-lo. Depois, tiveram como capitães Bartolomeo da Bérgamo, Ruberto da San Severino, o Conde de Pitigliano e outros desse jaez[83], sob a chefia dos quais deviam muito mais prever as perdas do que os ganhos, perdas como as que ocorreram em Vailá, onde, em uma única batalha, perderam o que em oitocentos anos e a tão duras penas haviam conquistado. É que com este tipo de exército nascem as lentas, tardias e inconsistentes vitórias, assim como as súbitas e mais incríveis derrotas. E como esses exemplos ativeram-me à Itália, ela que por tantos anos esteve sob a égide das milícias mercenárias, quero falar sobre estas, remontando no tempo, a fim de que, fazendo clara a sua origem e claros os seus desenvolvimentos, possamos reconsiderar a sua atuação.

Deveis[84], então, saber que, nestes últimos tempos, tão logo a monarquia começou a ser rechaçada da Itália e o Papa a granjear um maior prestígio temporal, o país foi dividido em vários Estados. Isto porque muitas das grandes cidades pegaram em armas contra os seus nobres – os quais, protegidos pelo Imperador, mantinham-nas sob um regime de opressão –, no que contaram com o apoio da Igreja, ávida justamente desse prestígio. Em várias outras cidades, os próprios cidadãos fizeram-se senhores[85]. Assim, ficando a Itália quase toda nas mãos da Igreja e de algumas repúblicas, e, não estando esses padres e esses cidadãos afeitos às práticas militares, eles passaram a recompensar o labor dos forasteiros. O primeiro que conferiu prestígio a este gênero de milícia foi Alberigo da Cúnio[86], da Romanha, de cuja escola descenderam, entre outros, Braccio e Sforza, os quais, em seu tempo, foram os todo-poderosos da Itália. Depois desses vieram todos os outros que, até os dias que correm, têm comandado estes exércitos. E o resultado do seu engenho (*virtù*)[87] foi que a Itália acabou sendo atacada por Carlos, saqueada por Luís, invadida por Fernando e humilhada pelos suíços[88].

Visando assentar o seu próprio renome, a primeira regra que observaram foi a de conspurcar a infantaria. Assim agiam porquanto, não possuindo terras italianas e baseados apenas em sua capacidade de ação, poucos infantes não lhes teriam proporcionado um grande crédito [no seio das populações] e muitos eles não teriam podido sustentar, razão que os fez adstringirem-se ao uso da cavalaria: com um número razoável de cavaleiros, eles obtinham sustento e respeitabilidade. A um tal ponto chegou-se que, num exército de vinte mil soldados, não se podia contar mais que dois mil infantes. Além disso, os chefes empregaram toda a sua habilidade no sentido de que eles próprios e os seus homens fossem poupados da fadiga e do medo, não se matando mutuamente nas batalhas campais, mas fazendo-se reciprocamente prisioneiros e libertando-se, mais tarde, sem a exigência de resgates. Não se investia à noite, nem contra as cidades, nem contra os arraiais dos sitiantes. Estes não praticavam nem paliçadas, nem fossas em seu derredor, tampouco operando ações de guerra durante o inverno. Em suma, todas essas coisas viam-se permitidas pelo código militar que haviam concebido e que, como se disse, visava livrá-los da canseira e do perigo. Foi assim que conduziram a Itália à servidão e à desonra.

XIII

Das milícias auxiliares, mistas
e do próprio país

De militibus auxiliariis, mixtis et propriis

Os exércitos auxiliares, de emprego igualmente desvantajoso, intervêm quando apelamos a um potentado para que ele, com os seus soldados, acorra em nosso auxílio e em nossa defesa. Um apelo desse tipo foi lançado recentemente pelo Papa Júlio, ele que, notando o lamentável desempenho das suas tropas mercenárias no assalto a Ferrara, voltou-se para estes exércitos auxiliares, pactuando com Fernando, Rei da Espanha, o qual, com os seus homens e as suas armas, deveria reforçá-lo. Esses exércitos podem ser úteis e bons para si mesmos, mas, para quem a eles recorre, são quase sempre danosos. Se perdes, consome-te na derrota; se vences, torna-te deles prisioneiro.

E ainda que a história antiga esteja repleta de exemplos desse tipo, não quero afastar-me deste, mais recente, do Papa Júlio II, cuja decisão – visando a tomada de Ferrara – de colocar-se inteiramente nas mãos de um estrangeiro não poderia ter sido mais insensata. A sua boa sorte (*fortuna*), porém, fez com que adviesse uma terceira resultância, a qual o impediu de colher os frutos da sua infeliz escolha: é que, com as suas milícias auxiliares derrotadas em Ravena e com o surgimento dos suíços – que, para a sua surpresa e para a surpresa geral, expulsaram os vencedores da batalha –, ele, então, nem findou no calabouço dos inimigos, que debandaram, nem ficou à mercê dos seus auxiliares, pois que conquistara a vitória com os soldados de uma outra milícia[89]. Os florentinos, completamente desarmados que estavam, levaram dez mil franceses a Pisa no intento de tomá-la, por cuja decisão viram-se mais perigosamente ameaçados do que em qualquer outro momento das suas empresas guerreiras[90]. Também o Imperador de Constantinopla, afrontando-se aos seus vizinhos, introduziu na Grécia dez mil turcos, os quais, terminado o conflito, negaram-se a de lá partir, origem da escravidão dos gregos a estes infiéis[91].

Por conseguinte, aquele que quiser colocar-se numa situação em que a vitória seja-lhe impossível, que se valha dessas milícias, muito mais perigosas se comparadas às mercenárias, já que com elas a sua ruína é certa, inteiramente unidas e votadas que são à obediência a terceiros. As milícias mercenárias, estas, uma vez vitoriosas, precisarão de mais tempo e de ocasiões muito propícias se contra ti quiserem realizar qualquer intento, pois que elas não constituem um corpo uno, sendo por ti formadas e pagas. Nelas, daqueles que tu fizeste chefe, um terço não poderá em tão pouco tempo lograr uma autoridade suficiente para contigo defrontar-se. Em conclusão, nas milícias mercenárias, a coisa mais deletéria é a indolência; nas auxiliares, é a intrepidez (*virtù*).

Os príncipes prudentes, portanto, sempre evitaram lançar mão de tais forças e recorreram às suas próprias, preferindo ser derrotados com estas a vencer com as de outrem, considerando ilusória qualquer vitória obtida com forças que lhes fossem estranhas. Jamais hesitarei em mencionar César Bórgia e as suas ações. Esse Duque entrou na Romanha com milícias auxiliares, comandando tropas em sua totalidade formadas por franceses, e com elas tomou Ímola e Forli. Depois, porém, essas milícias não mais lhe inspirando confiança, ele voltou-se para as mercenárias, entendendo que com estas correria menores riscos. Aliciou, mediante pagamento, os Orsini e os Vitelli. Empregando-as, então, apercebeu-se de que estas eram volúveis, infiéis e perigosas. Ele as suprimiu e passou a valer-se apenas das suas próprias forças. Podemos facilmente notar que diferenças existem entre uma e outras dessas milícias ao considerarmos que mudanças se operaram na reputação do Duque entre o primeiro momento, em que contou apenas com os franceses; o segundo, quando teve consigo os Orsini e os Vitelli, e, enfim, aquele no qual se serviu com independência dos seus próprios soldados: veremos que ela não cessou de elevar-se e que jamais ele foi tão estimado como a partir do momento em que todos atentaram na plena autoridade que passara a exercer sobre as suas forças.

Não é minha vontade apartar-me dos exemplos italianos e recentes; *tamen* não poderia relegar o de Hierão de Siracusa, um dos nomes por mim anteriormente mencionados. Feito pelos siracusanos – repito-me aqui – chefe dos seus exércitos, ele não tardou a compreender que daquelas milícias mercenárias não poderia tirar proveito, capitaneadas que eram por *condottieri*[92] iguais aos nossos, italianos. Vendo-se, então, impossibilitado de mantê-los em seus postos ou de simplesmente dispensar-lhes os serviços, ordenou que estes fossem esquartejados, após o que fez a guerra à frente das suas milícias e não à testa de milícias alheias. Quero ainda trazer à lembrança uma alegoria que consta no Antigo Testamento, feita a este propósito. Quando Davi foi à presença de Saul oferecer-se para lutar contra Golias – o filisteu que desafiara-o –, Saul, na intenção de encorajá-lo, passou-lhe a sua própria armadura. Davi, após tê-la vestido, recusou-a, alegando que com ela não poderia valer-se das suas próprias forças, preferindo ir ao encontro do seu inimigo armado com a sua funda e com a sua faca. Numa palavra, a armadura de um outro, ou ela te cairá dos ombros, ou pesará demais sobre eles, ou te comprimirá.

Carlos VII, pai do Rei Luís XI, havendo, com a sua sorte (*fortuna*) e com os seus méritos (*virtù*), livrado a França do jugo inglês[93], conheceu a necessidade de munir-se com as suas próprias forças e criou as Ordens Reais da cavalaria e da infantaria. Mais tarde, porém, o seu filho, o Rei Luís, aboliu a infantaria e passou a servir-se (mediante paga) dos soldados suíços, erro a que outros monarcas deram continuidade e que, como hoje sabemos, acha-se na origem dos males que ora ameaçam esse Império. Com efeito, em prestigiando os suíços, ele envileceu todas as suas forças, e, em suprimindo a infantaria, subordinou os seus cavaleiros a uma milícia alheia. Destarte, habituados a combater ao lado dos suíços, eles já não creem poder vencer sem estes. Disso decorre que os franceses não são fortes o bastante para afrontar os suíços, e, sem os suíços, eles já não se arriscam a um embate com outros. Portanto, os exércitos franceses fizeram-se mistos, parte mercenários, parte formados por soldados do país; exércitos que, em seu conjunto, são bem superiores aos que não passam de auxiliares ou de milícias mercenárias, mas muito inferiores àqueles inteiramente próprios a uma nação. E bastará o exemplo já citado: o Reino da França ter-se-ia tornado invencível se as instituições de Carlos houvessem sido aprimoradas ou [pelo menos] preservadas. A pouca prudência dos homens, porém, faz com que eles se lancem em empresas que de início se lhes parecem promissoras, sem que se apercebam do veneno que nelas oculta-se, como anteriormente eu dizia aludindo à tísica.

Logo, o príncipe que não atenta nos males em seus começos não é realmente um soberano avisado – atributo que, aliás, é dado a poucos. Se considerarmos a causa primeira da ruína do Império Romano, notaremos que ela se encontra no começo do emprego dos mercenários godos, visto que desse momento em diante a insatisfação dos soldados desse Império foi excitada com a atribuição àqueles de todos os méritos (*virtù*) que eram seus. Concluo, portanto, que sem possuir exércitos próprios nenhum principado viverá livre de ameaças, ou antes ficará inteiramente à mercê da sorte (*fortuna*), não havendo bravura (*virtù*) que o defenda lealmente na adversidade. Aliás, foi sempre uma opinião e uma máxima dos homens sábios *quod nihil sit tam infirmum aut instabile, quam fama potentiae non sua vi nixa*[94]. As forças próprias são aquelas compostas pelos teus súditos ou pelos teus cidadãos ou por aqueles que doutrinaste: todas as demais serão mercenárias ou auxiliares. De resto, facilmente desvendaremos o modo pelo qual essas forças próprias deverão ser instituídas ao examinarmos o proceder dos quatro personagens que acima citei[95] e ao observarmos a forma com que Filipe, pai de Alexandre Magno, e muitas repúblicas e principados armaram-se e organizaram-se. A tais instituições remeto-me inteiramente.

XIV

Das atribuições do príncipe em matéria militar

Quod principem deceat circa militiam

Preconizo que um príncipe não tenha outro objeto de preocupações nem outros pensamentos a absorvê-lo, e que tampouco se aplique pessoalmente a algo que fuja aos assuntos da guerra e à organização e disciplina militares, porquanto apenas estes concernem à única arte atinente ao seu comando[96]. Essa arte é de uma tal importância (*virtù*)[97] que não somente ela afirma no poder aqueles que têm o principado de berço, mas não raro faz com que homens de condição (*fortuna*) privada ascendam a esta dignidade. Contrariamente, vemos que os príncipes que se ocuparam mais dos seus deleites que das armas perderam os seus Estados. O que por primeiro pode fazer com que percas o teu próprio Estado é a negligência com respeito a essa arte. Ademais, o que te permitirá conquistá-lo será a tua excelência nessa mesma arte.

Francesco Sforza, por ter arrostado batalhas, de simples particular tornou-se Duque de Milão. Já os seus descendentes, por haverem-se esquivado das agruras da guerra, de poderosos senhores e de duques decaíram à condição de simples cidadãos. Com efeito, entre outras coisas capazes de acarrear-te o mal, o fato de desatenderes aos imperativos militares fará de ti o objeto do desprezo alheio, infâmia da qual todo príncipe deve preservar-se, como abaixo se dirá. Ora, não há qualquer comparação possível entre um príncipe armado e um sem exército, nem é razoável que o primeiro submeta-se facilmente ao segundo, e tampouco que este possa viver em segurança em meio a servidores armados. De resto, um inspirando desprezo, o outro suspeição, não é possível que operem bem conjuntamente. É por isso que um príncipe cuja capacidade militar não sobressai, além dos já referidos dissabores, não poderá incutir respeito aos seus soldados, nem emprestar-lhes a sua confiança.

Sendo assim, o príncipe jamais deverá desviar as suas atenções destes exercícios militares, e na paz terá de exercitar-se ainda mais que na guerra, o que poderá fazer de duas maneiras: uma, embasando materialmente as suas empresas guerreiras; a outra, meditando acerca das mesmas. Quanto à primeira, além de manter bem disciplinados e exercitados os seus soldados, ele deverá praticar constantemente a caça, com a qual acostumará o seu corpo a rudes condições e pela qual será instruído quanto à natureza dos lugares, aprendendo como elevam-se os montes, como abrem-se os vales, como estendem-se as planícies, e descobrindo a essência dos rios e dos pântanos, coisas às quais aplicará toda a sua atenção. Esses conhecimentos apresentam uma dupla utilidade: primeiro, o príncipe passará a conhecer os seus territórios, podendo melhor conceber o modo de defendê-los; além disso, com os conhecimentos e com a prática adquirida nesses lugares, facilmente ele compreenderá a natureza de qualquer outro lugar que noutra vez seja-lhe necessário explorar, porquanto as colinas, os vales, as planuras, os rios e os pântanos (que existem, por exemplo, na Toscana) guardam uma certa semelhança com aqueles de outras latitudes, de sorte que do conhecimento da paisagem de uma região pode-se passar facilmente ao conhecimento de outras. Ao príncipe que faltar essa perícia faltará a primeira das aptidões que deve possuir um capitão, já que é esta que o capacitaria a desemboscar o inimigo, a assaltar os seus acampamentos, a conduzir as milícias, a traçar estratégias de batalha e a sitiar um território em posição de força.

Filopêmenes, Príncipe dos aqueus[98], recebeu o louvor dos escritores do seu tempo entre outras coisas porque, mesmo em épocas de paz, jamais desviava os seus pensamentos das táticas de batalha. Encontrando-se na campanha com os seus amigos, frequentemente detinha-se para com eles confabular: "– E se os nossos inimigos estivessem sobre aquela colina, nós aqui com o nosso exército, com quem estaria a vantagem? Como, conservando a nossa formação, poderíamos apanhá-los? Se pretendêssemos um recuo, como deveríamos executá-lo? Se eles batessem em retirada, como poderíamos persegui-los?" E, ao longo do caminho, ia propondo aos seus companheiros toda sorte de situações nas quais um exército poderia ver-se envolvido: ouvia as suas opiniões, expunha as suas, aditando as suas justificativas, de tal forma que, graças a essas constantes reflexões, jamais, no comando dos seus exércitos, pôde advir-lhe qualquer infausto acidente que ele não soubesse como remediar.

Quanto ao exercício das suas meditações, o príncipe deve ler os relatos da história e neles considerar as ações dos grandes homens; notar como comportaram-se nas guerras; examinar as razões das suas vitórias e das suas derrotas – para estas poder evitar e aquelas imitar –, e, sobretudo, deve fazer como um daqueles grandes vultos do passado que tomaram o intento de mirar-se nalgum personagem precedentemente louvado e celebrado, trazendo sempre consigo o registro dos seus feitos e dos seus gestos, como dizem que Alexandre Magno espelhava-se em Aquiles, César em Alexandre e Cipião em Ciro. Aliás, quem ler a vida de Ciro escrita por Xenofonte perceberá o quanto o exemplo de Ciro inspirou a trajetória de glórias de Cipião e o quanto este, em castidade, em benevolência, em humanidade e em liberalidade conformou-se ao que Xenofonte escrevera de Ciro. Uma conduta semelhante deve ser observada pelo príncipe prudente, o qual jamais cederá ao ócio em tempos de paz, mas empregará os seus esforços a constituir um aparato do qual se possa valer na adversidade, a fim de que, uma vez traído pela fortuna, se encontre preparado para resistir.

XV

Das coisas pelas quais os homens e sobretudo os
príncipes são louvados ou injuriados

*De his rebus quibus homines et praesertim principes
laudantur aut vituperantur*

Ora resta examinar quais devem ser os procedimentos e as resoluções do príncipe com relação aos seus súditos e aos seus aliados[99]. E porque sei que muitos já escreveram a esse respeito, receio, ao reconsiderá-lo *eu*, ser tomado por um presunçoso, pois que me aparto, especialmente no trato dessa matéria, da trilha seguida por outros[100]. Contudo, sendo o meu intento escrever coisas úteis àqueles que as lerão, parece-me mais conveniente conformar as minhas palavras à verdade efetiva do meu objeto que a uma visão imaginária do mesmo. Muitos foram os que conceberam repúblicas e principados que jamais foram vistos ou reconhecidos como tais. Há, porém, uma tão grande distância entre o modo como se vive e o modo como se deveria viver, que aquele que em detrimento do que se faz privilegia o que se deveria fazer mais aprende a cair em desgraça que a preservar a sua própria pessoa. Ora, um homem que de profissão queira fazer-se permanentemente bom não poderá evitar a sua ruína, cercado de tantos que bons não são. Assim, é necessário a um príncipe que deseja manter-se príncipe aprender a não usar [apenas] a bondade, praticando-a ou não de acordo com as injunções[101].

Ora relegando o que sobre um príncipe pôde-se imaginar, e tratando das coisas que são verdadeiras, lembro que a todos os homens sobre os quais falamos, e sobretudo aos príncipes em razão de sua alta condição, atribuímos algumas destas qualidades que lhes carreiam reprovação ou louvor. Assim, um será tido por dadivoso; outro, por miserável – valho-me aqui de um termo toscano, *misero* (em nossa língua, *avaro* designa também aquele que por meio de rapina intenta possuir), pelo qual nomeamos aquele que se abstém em demasia de fazer uso do que é seu[102] –; um deles será considerado pródigo; um outro, rapinante; um será reputado cruel; um outro, piedoso; um, traiçoeiro; o outro, leal; um, adamado e pusilânime; o outro, bravo e audaz; um, afável; o outro, soberbo; um, dissoluto; o outro, puro; um, íntegro, franco; o outro, astuto; um, inflexível; o outro, complacente; um, grave; o outro, leviano; um, religioso; o outro, ímpio, e assim por diante.

Bem sei que cada qual admitirá que seria coisa muito louvável que num príncipe se encontrassem, de todas as qualidades que acima arrolei, aquelas que são julgadas boas. Todavia, visto que não pode possui-las todas, nem de todo praticá-las, dada a condição humana que o veda, o príncipe terá de mostrar-se prudente o bastante para evitar a infâmia daqueles vícios capazes de destituí-lo dos seus domínios e, sendo-lhe possível, precatar-se dos que não chegam a ameaçá-lo desta privação. Faltando-lhe essa possibilidade, ainda poderá, com menores precauções, deixar o barco correr. E *etiam* não deverá cessar de incorrer na infâmia daqueles vícios sem os quais dificilmente poderia salvaguardar o Estado, porquanto, considerando-se tudo atentamente, encontraremos algumas coisas que afiguram virtude e cuja observância traria a sua ruína, bem como outras que afiguram vícios e cuja prática lhe conferiria segurança e aprazimento.

XVI

Da liberalidade e da parcimônia

De liberalitate et parsimonia

Começando, então, pelas primeiras qualidades acima referidas, digo que seria bom ser considerado um liberal. No entanto, a liberalidade, praticada de modo a que sejas por ela reputado, devirá razão de contrariedades. Isto porque, se a usares judiciosamente (*virtuosamente*) – como conviria usá-la –, ela não será notada, nem te livrará da infâmia do seu contrário: por isso, se quiseres firmar no seio do povo o teu conceito de homem liberal, não poderás negligenciar nenhum tipo de munificência. [Não obstante,] o príncipe que proceder sempre dessa forma consumirá nestas ações todos os seus recursos, e finalmente ver-se-á forçado – em querendo manter a sua fama de liberal – a gravar extraordinariamente o povo, a exercer um poder fiscal e a lançar mão de todos os meios para arrecadar dinheiro. Isso tudo o fará malquisto pelos súditos e menos respeitado por todos, ao mesmo tempo em que o empobrecerá. Assim, com a sua liberalidade havendo prejudicado muitos e premiado poucos, dela ressente-se ao primeiro embaraço e periclita à primeira ameaça. Ademais, se, percebendo a gravidade da situação, quiser omitir-se, incorrerá na infâmia de "miserável".

Portanto, não podendo um príncipe valer-se dessa qualidade (*virtù*) de liberal de modo a ser por ela reconhecido sem que isso redunde em seu prejuízo, ele tampouco deverá, se for prudente, preocupar-se com este epíteto de "miserável". Afinal, com o tempo e cada vez mais, ele será tido por liberal: o povo verá que, mercê da sua parcimônia, as suas receitas lhe bastam e que ele é capaz de defender-se do inimigo externo com empresas guerreiras que não o oneram [ele, povo]. Dessa forma, o príncipe faz-se liberal para todos aqueles dos quais nada toma, que são muitíssimos, e miserável para aqueles aos quais nada concede, que são pouquíssimos. Nestes tempos em que vivemos, não vimos [por parte do povo] grandes coisas serem feitas em prol senão daqueles que foram reputados miseráveis, ao passo que os outros acabaram sendo liquidados. O Papa Júlio II, havendo-se servido do renome de "liberal" para ascender ao Papado, depois não esmerou-se em fazer por merecê-lo, porquanto queria tornar-se beligerante. O atual Rei da França[103] lançou-se em muitas guerras sem cobrar um único tributo extraordinário do seu povo, *solum* porque a sua longa parcimônia fê-lo capaz de suprir ao excesso das suas despesas. Fora o presente Rei da Espanha[104] tido por liberal e ele não haveria nem feito nem vencido tantas guerras.

Por conseguinte, um príncipe, para não ter de espoliar os seus súditos, para poder defender-se, para não acabar pobre e vilipendiado, para não se ver forçado a praticar a rapinagem, não deve fazer grande caso de ser julgado miserável, pois que esse é um daqueles vícios que o fazem reinar. E a quem objetar que César, mercê de sua liberalidade, ascendeu ao Império, e que muitos outros, por terem sido de fato e de fama liberais, alcançaram as mais altas dignidades, responderei: ou tu és um príncipe feito, ou tu estás em via de tornar-te um. No primeiro caso, esta liberalidade é danosa; no segundo, será mister que como liberal te considerem. De início, César era [tão somente] um daqueles que aspiravam ao supremo poder romano. Mais tarde, detentor desse poder, houvesse ele por mais tempo vivido (sempre sem temperar os seus gastos), teria conduzido o seu Império à ruína. E a quem replicar lembrando que muitos exerceram o principado e protagonizaram feitos notáveis com os seus exércitos a despeito de terem sido considerados extremamente liberais, responderei que um príncipe, ou ele despenderá os recursos que são seus e dos seus súditos, ou despenderá os de outrem. No primeiro caso, ele deverá ser parco; no segundo, não deverá dispensar-se de nenhuma prova de liberalidade.

Assim, ao príncipe que chefia os seus exércitos, vivendo de espólios, de saquear cidades, de tributar os povos vencidos, fazendo uso do que a outros pertence, cumprirá agir com esta liberalidade; do contrário, não será acatado pelos seus soldados. Daquilo que não é teu nem dos teus súditos poderás fazer-te o mais pródigo dos doadores, como fizeram-se Ciro, César e Alexandre, uma vez que gastar o que é de outros não abaterá o teu prestígio, mas o roborará. A dilapidação dos teus próprios bens é a única que pode acarretar-te um real prejuízo, pois não há nada que por si mesmo possa esgotar-se tanto como a liberalidade: esta, à medida que dela lanças mão, vais perdendo a capacidade de fazê-lo, e te tornas pobre e rejeitado, ou então, em procurando escapar à pobreza, rapace e odioso. Com efeito, ser desprezado e odiado são situações que se incluem entre aquelas das quais um príncipe deve-se resguardar, e a uma e a outra a liberalidade te conduz. Portanto, há mais prudência em ater-se à reputação de miserável, que engendra uma infâmia que não te faz execrado, do que, ao pretender a fama de liberal, incorrer inevitavelmente na de rapinante, que engendra uma infâmia que te faz odiado.

XVII

Da crueldade e da piedade, e se é melhor ser amado
que temido ou o contrário

*De crudelitate et pietate;
et an sit melius amari quam timeri, vel e contra*
[ou: *an contra*]

Abordando, na sequência, as demais qualidades supracitadas, afirmo que todo príncipe deve desejar ser tido por piedoso e não por cruel. No entanto, deve ele tomar o cuidado de não fazer um mau uso dessa piedade. César Bórgia foi reputado cruel; entretanto, a sua dita crueldade reconciliou internamente a Romanha, fê-la coesa, reconduzindo-a a um estado de paz e de fidelidade. Considerando tudo atentamente, veremos que ele foi muito mais piedoso que o povo florentino, o qual, para evitar a fama que advém da crueldade, permitiu a destruição de Pistoia[105]. Um príncipe, portanto, para poder manter os seus súditos unidos e imbuídos de lealdade, não deve preocupar-se com esta infâmia, já que, com algumas poucas ações exemplares, ele mostrar-se-á mais piedoso que aqueles que, por uma excessiva comiseração, acabam deixando medrar a desordem da qual derivam as mortes e os latrocínios (os quais, por sua vez, soem depreciar um povo na sua totalidade), ao passo que as execuções por ele ordenadas afetam apenas o particular. E, entre todos os príncipes, é ao novo príncipe que se faz impossível evitar a reputação de cruel, pois que os Estados nascentes vêm sempre repletos de ameaçadores desafios. É Virgílio quem, pela boca de Dido, nos diz:

Res dura, et regni novitas me talia cogunt
Moliri, et late fines custode tueri.[106]

Todavia, o príncipe deve ser ponderoso em seus julgamentos e em suas ações, sem temer o seu próprio poder, e proceder de um modo equilibrado, com prudência e benevolência, de sorte que a larga confiança [que nos outros deposita] não faça dele um incauto e que a sua excessiva desconfiança não o torne intolerável.

Nasce daí o debate: se é melhor ser amado que temido ou o inverso. Dizem que o ideal seria viver-se em ambas as condições, mas, visto que é difícil acordá-las entre si, muito mais seguro é fazer-se temido que amado, quando se tem de renunciar a uma das duas. Dos homens, em realidade, pode-se dizer genericamente que eles são ingratos, volúveis, fementidos e dissimulados, fugidios quando há perigo, e cobiçosos. Enquanto ages em seu benefício, e contanto que a tua necessidade esteja ao longe (como eu acima dizia), todos estão ao teu lado e oferecem-te o seu sangue, os seus bens, as suas vidas e os seus filhos. Ao avizinhar-se, porém, essa necessidade, eles esquivam-se. Um príncipe que se fie inteiramente na palavra desses homens, sem prover-se de quaisquer outras garantias, sucumbirá. Isto porque as adesões que obtemos mediante paga e que não nascem do caráter elevado e nobre [de cada um], embora nos sejam devidas, com elas não podemos contar, e, nos momentos críticos, delas não nos podemos valer. E se os homens têm menos receio de conspirar contra aquele que se faz estimar que contra aquele que se faz temer é porque a estima mantém-se mercê de um compromisso [ético], o qual, por serem os homens perversos, sempre vê-se rompido em favor de interesses pessoais, ao passo que o temor está assente sobre um medo de punição que não os abandona jamais.

O príncipe, de todo modo, deverá fazer-se temido, de sorte que, em não granjeando a estima, ao menos evitará ser o alvo de ódios, afinal, é perfeitamente possível a um só tempo fazer-se temido sem fazer-se odiado, o que, aliás, ocorrerá sempre que ele se abstiver dos bens dos seus concidadãos e dos seus súditos, bem como das mulheres destes. E, se ainda precisar atentar contra o sangue de alguém, deverá fazê-lo com uma decorosa justificação e com uma razão manifesta. Mas, sobretudo, deverá ele abster-se dos bens de outrem, visto que os homens não tardam tanto a esquecer a morte de um pai quanto a perda de um patrimônio. Ademais, razões nunca faltam a apoiar um espólio material, e aquele que envereda por um caminho de rapinas encontra sempre uma justificativa para perpetrar as suas usurpações. Inversamente, para atentar contra a vida, estas razões fazem-se mais raras e menos duradouras.

Porém, estando um príncipe à frente dos seus exércitos e tendo sob as suas ordens uma multidão de soldados, ele não deverá absolutamente preocupar-se em ser reputado cruel, porquanto sem tal reputação jamais se pode manter um exército unido e preparado para qualquer operação. Entre os admiráveis feitos de Aníbal conta o de que, possuindo ele um exército extraordinariamente grande no qual se amalgamavam homens de inúmeras procedências, exército que comandara em batalhas travadas em terras estrangeiras, jamais surgiu no seio deste qualquer dissensão, nem entre os soldados, nem contra o seu comando, nem na adversidade e tampouco na fortuna. Isso só pôde decorrer da sua inumana crueldade, a qual, a par das suas inúmeras virtudes, fez com que, aos olhos dos seus soldados, ele parecesse sempre venerável e terrível, e sem a qual essas mesmas virtudes não lhe teriam bastado para causar uma tal impressão. Os escritores, pouco conscienciosos nesse particular, por um lado louvam este seu feito; por outro, condenam o seu principal requisito.

Do fato de que as outras virtudes de Aníbal não lhe teriam bastado, podemos nos aperceber num paralelo com Cipião, personagem dos mais invulgares não apenas do seu tempo mas de todos os tempos cuja memória herdamos, ele que teve os seus soldados rebelados na Espanha[107] – o que não derivou de outra coisa senão que da sua demasiada clemência, clemência esta que brindara os seus soldados com uma permissividade incompatível com a disciplina militar. Daí ele haver sido alvo das reprimendas de Fábio Máximo [*Fabius Maximus*] no Senado, o qual o acusou de corruptor do exército romano. Os locrenses, perfidamente abatidos por um legado de Cipião, por este não foram vingados, nem a insolência do tal legado castigada, tudo isso procedendo da sua natureza complacente. Prova disso é que, em sua defesa, um senador foi à tribuna para dizer que, a exemplo de Cipião, muitos outros homens mais sabiam como não cometer crimes do que punir os crimes cometidos. Esta sua índole teria, com o tempo, maculado o seu nome e o seu prestígio caso, nela inspirado, ele houvesse seguido a decidir dos destinos do Império. Porém, vivendo sob a hegemonia do Senado, esta sua deplorável qualidade *non solum* tornou-se imperceptível mas reverteu em sua própria glória.

Concluo, pois, retomando o problema do ser temido ou estimado, que, dado que os homens prezam segundo a sua vontade e temem segundo a vontade do príncipe, este, sendo prudente, deverá fundar-se naquilo que respeita ao seu arbítrio, não no que respeita ao arbítrio de outrem. Em suma, terá apenas de proceder de modo a evadir o rancor alheio, como foi dito.

XVIII

Como devem os príncipes honrar
a sua palavra

Quomodo fides a principibus sit servanda

O quão louvável é que um príncipe honre a sua palavra e viva de uma forma íntegra, cada qual o compreenderá. Todavia, a experiência nos faz ver que, nestes nossos tempos, os príncipes que mais se destacaram pouco se preocuparam em honrar as suas promessas; que, além disso, eles souberam, com astúcia, ludibriar a opinião pública[108]; e que, por fim, ainda lograram vantagens sobre aqueles que basearam as suas condutas na lealdade.

Assim, devemos saber que existem dois modos de combater: um, com as leis; o outro, com a força. O primeiro modo é o próprio do homem; o segundo, dos animais. Porém, como o primeiro muitas vezes mostra-se insuficiente, impõe-se um recurso ao segundo. Por conseguinte, a um príncipe é necessário saber valer-se dos seus atributos de animal e de homem. Esta regra é ministrada aos príncipes de uma forma velada pelos escritores de outrora, em cujos textos lemos que Aquiles e que muitos outros daqueles príncipes do mundo antigo teriam sido confiados ao centauro Quirão e sob a sua disciplina educados. Esta condição de ter como preceptor um ser metade animal e metade homem quer tão somente significar que um príncipe deve saber lançar mão de uma e de outra [face da sua] natureza, porquanto uma sem a outra não se fará perene.

E pois que um príncipe precisa saber realmente valer-se da sua natureza animal, convém que tome como modelos a raposa e o leão[109]: posto que a raposa mostre-se indefesa contra os lobos e o leão contra as armadilhas do homem, o príncipe proverá às suas carências com aquela conhecendo as armadilhas do homem e com este espavorindo os lobos. Com efeito, aqueles que agem unicamente como leões revelam a sua inabilidade. Portanto, não pode nem deve um soberano prudente cumprir as suas promessas quando um tal cumprimento ameaça voltar-se contra ele e quando se diluem as próprias razões que o levaram a prometer. Se os homens fossem todos bons, bom não seria esse preceito; mas, visto que eles são pérfidos e que, em teu favor, tampouco honrariam a sua palavra, *etiam* tu não tens de sentir-te no dever de, em seu favor, honrar a tua. Aliás, razões jamais faltam a um príncipe para fundamentar o descumprimento das suas promessas. Disso poderíamos dar inúmeros exemplos contemporâneos e mostrar quantas promessas de paz (e outras) tornaram-se írritas e caducaram por infidelidade dos príncipes, e o quão maior foi o êxito daqueles que melhor souberam usar os atributos da raposa. Todavia, terás de saber como colorir essa face da tua natureza, fazendo-te um grande simulador e um dissimulador. Ademais, são tão simples os homens e tão simplesmente eles conformam-se às exigências do seu presente, que aquele que sabe enganar encontra sempre um outro que, justamente, se deixa enganar.

Dos exemplos mais recentes, há um que eu não gostaria de omitir. Alexandre VI jamais fez outra coisa, nem noutra coisa jamais pensou que não fosse em iludir os homens, havendo sempre encontrado argumentos que lhe permitissem fazê-lo. Jamais outro homem foi tão veemente ao asseverar os seus propósitos, nem mais pródigo em juramentos que os reafirmassem, nem menos inclinado a cumpri-los. No entanto, as suas burlarias reverteram sempre *ad votum* [em seu favor], pois bem conhecia esta peculiaridade da vida pública.

A um príncipe, portanto, não é necessário que de fato possua todas as sobreditas qualidades; é necessário, porém, e muito, que ele pareça possuí-las. Antes, ouso dizer que, possuindo-as e praticando-as sempre, elas redundam em prejuízo para si, ao passo que, simplesmente dando a impressão de possuí-las, as mesmas mostram toda a sua utilidade. Da mesma forma, tu, conquanto aparentes ser o que és – piedoso, fiel, humano, íntegro e religioso –, deves estar preparado e apto para, em caso de necessidade, demudar-te no teu contrário. E há que compreender-se que um príncipe, e máxime um novo príncipe, não poderá observar todas aquelas condições pelas quais os homens são tidos por bons, porquanto frequentemente, para conservar-se no poder, terá de agir contra a sua palavra e contra os preceitos da caridade, contra os da humanidade e contra os da religião. Por isso, será preciso que ele possua uma natural disposição para transmudar-se segundo o exijam os cambiantes ventos da fortuna e das circunstâncias, e, como eu dizia acima, que, havendo a possibilidade, ele não se aparte do bem, mas que, havendo a necessidade, saiba valer-se do mal.

Deve, portanto, o príncipe tomar todo o cuidado para que da sua boca não saiam palavras que não estejam perfeitamente coadunadas com as cinco sobreditas qualidades e para parecer, aos que o veem e ouvem, de todo misericordioso, sincero, de todo íntegro, humanitário, de todo religioso. Nada, aliás, se faz mais indispensável do que passar a impressão de possuir esta última qualidade. Os homens, *in universali*, mais julgam pela visão que pelo tato[110], uma vez que todos podem facilmente ver; somente uns poucos sentir. Cada qual vê o que pareces ser; poucos têm o sentimento daquilo que de fato és; e estes poucos não ousam contrapor-se à opinião dos muitos, que contam, em sua defesa, com a majestade do Estado. Ademais, das ações de qualquer homem e mormente das ações de um príncipe (nenhum tribunal sendo competente para julgá-lo) consideramos simplesmente os seus resultados. Em sendo assim, o príncipe deve fazer por onde alcançar e sustentar o seu poder: os meios serão sempre julgados honrosos e por todos elogiados, e isto porque apenas às suas aparências e às suas consequências ater-se-á o vulgo, este vulgo cuja presença é predominante no mundo. De resto, pouco contam as minorias quando as maiorias têm onde se apoiar[111]. Um certo príncipe dos tempos atuais, o qual não convém nomear[112], jamais exalta em suas prédicas senão a paz e a boa fé, malgrado de uma e de outra seja ele um contumaz inimigo. Em realidade, houvesse desejado uma e usado a outra, este príncipe, por mais de uma vez, teria posto em risco a sua reputação e o seu poder.

XIX

Subtraindo-se ao desprezo e ao ódio

De contemptu et odio fugiendo

Mas uma vez que das qualidades acima mencionadas só discorri as mais importantes, ora quero tratar das demais, examinando-as por alto. O príncipe deve tomar o cuidado, como em parte foi dito antes, de esquivar-se de tudo aquilo que o faria odioso e desprezível. Enquanto lograr evitá-lo, estará cumprindo o que lhe incumbe e das outras infâmias não se verá ameaçado. Como eu dizia, o ódio, ele o granjeará sobretudo ao mostrar-se rapace e usurpador dos bens e das mulheres dos seus súditos, ações das quais deverá abster-se. Enquanto não se atentar nem contra o patrimônio, nem contra a honra dos homens em sua universalidade, estes viverão satisfeitos, e a combater restará tão somente a ambição de uns poucos, ambição esta que de várias maneiras e com facilidade poder-se-á refrear. Angariará o desprezo ao ser encarado como volúvel, fraco e leviano, e como pusilânime e irresoluto. O príncipe, portanto, deverá precaver-se contra isso como contra um escolho marinho, e empenhar-se para que em suas ações transpareça a grandeza, a coragem, a austeridade e a firmeza, assim como, no tocante às intrigas privadas dos seus súditos, deverá aspirar à irrevogabilidade das suas sentenças, o que, em consolidando a sua fama, a todos dissuadirá de traí-lo ou de enganá-lo.

Todo príncipe, suscitando de sua pessoa essa impressão, conquista um altíssimo conceito e, contanto que sejam realmente notórias as suas qualidades e a reverência com que lhe tratam os seus súditos, um tal conceito inibe quaisquer intentos conspirativos, como dificulta todo ataque vindo do exterior; afinal, um príncipe deve considerar ambas as ameaças: a interna, com origem nos súditos, e a externa, com origem nos potentados estrangeiros. Destes, ele defende-se com boas armas e com bons aliados – e, como de regra, se contar com boas armas, contará com bons aliados. Como de regra, igualmente, a situação interna estará sob controle enquanto sob controle se encontrar a sua situação face às forças externas – a menos que se ache aquela já abalada por uma conjuração –, e ainda que estas tentem algo, ele, havendo regrado a sua conduta e vivido conforme assinalei, e sem jamais esmorecer, resistirá sempre a toda e qualquer investida, como pôde fazê-lo Nábis de Esparta, a quem aludi.

Porém, quanto aos seus súditos, e enquanto se mantém calma a sua situação frente ao estrangeiro, o príncipe não deve desconsiderar a trama secreta de um conluio, perigo contra o qual ele garante-se amplamente ao evitar o ressentimento e o desapreço alheios, bem como ao satisfazer as expectativas do povo, o que se faz imprescindível, como tive a ocasião de esmiuçar. [Insisto:] um dos mais eficazes antídotos de que dispõe um príncipe contra as conjuras é a sua subtração ao ódio popular, visto que, invariavelmente, crê um conjurado que a morte do príncipe atende a um anseio do povo. Este mesmo conjurado, porém, reconhecendo o que de ofensivo ao povo haveria em seu intento, e antecipando os inúmeros obstáculos que daí adviriam, sequer ousaria tomar um tal partido. Por experiência, sabemos das muitas conjurações tentadas e das poucas que tiveram um bom fim. Com efeito, aquele que conspira não pode fazê-lo isoladamente, nem pode entrar em conluio a não ser com aqueles supostos descontentes. Tu, destarte, ao revelares a um desses as tuas intenções, estarás aí mesmo oferecendo subsídios à sua satisfação, uma vez que, delatando-te, ele poderá esperar obter todo tipo de vantagens. Sendo assim, vendo benefícios assegurados deste lado e vendo-os incertos e sujeitos a muitos riscos do outro, para ser-te leal, será mister que ele seja amigo teu como poucos ou um obstinado inimigo do príncipe teu rival.

Abreviando-o em mínimas palavras, digo que, no que toca ao conjurado, não há senão o medo, as suas suspeitas e a apreensão de um castigo que podem atormentá-lo; no que tange ao príncipe, defendem-no a majestade do seu principado e as leis, protegem-no os seus aliados e o próprio Estado, de sorte que, se a todas essas coisas somar-se a benevolência popular, impossível será que alguém se faça temerário o bastante para conjurar: se, de feito, deve normalmente um conjurado alimentar alguns temores antes da execução do seu doloso intento, ele agora terá ainda de temer empós o delito cometido, impossibilitado que estará – com o povo contra si – de esperar deste qualquer guarida.

Inúmeros exemplos poderiam servir-me como ilustração, mas quero contentar-me com um único, legado pela memória de nossos pais. *Messer* Aníbal Bentivogli – avô de *Messer* Aníbal, nosso contemporâneo –, que era príncipe em Bolonha, fora, após uma conspiração dos Canneschi, por estes assassinado. Consumado o homicídio, o povo não tardou a bradar sua revolta e a liquidar um a um os tais Canneschi, consequência da benevolência popular de que a casa Bentivogli era, naqueles tempos, depositária, e isso numa tal proporção que, tendo esta casa em *Messer* Giovanni, então recém-nascido, o seu único herdeiro, e não restando ninguém da família em Bolonha que pudesse, morto Aníbal, reger o Estado, o indício da existência de um Bentivogli em Florença – até então tido por filho de um ferreiro – fez com que os bolonheses lá procurassem-no e, enfim, outorgassem-lhe o governo da sua cidade, a qual foi por ele de fato governada até que *Messer* Giovanni alcançasse a idade adequada para assumir tal responsabilidade[113].

Concluo, portanto, que as conjurações não devem intimidar sobremaneira um príncipe quando o povo mostra-se-lhe benevolente e que, no caso inverso, quando este lhe é hostil e o desaprecia, deve desconfiar de tudo e de todos. Aliás, os Estados bem governados e os príncipes prudentes sempre cuidaram para não levar o desespero aos grandes e para agradar e contentar o povo, esta que é uma das mais importantes tarefas que incumbem a um soberano.

Entre os reinos de melhor constituição e governo destes nossos tempos está o da França. Nele, encontramos um expressivo número de instituições de cujo alto valor dependem a liberdade e a segurança do Rei. Destas, a primeira é o Parlamento e a sua autoridade[114]. Com efeito, aquele que concebeu a organização desse Reino, conhecendo a ambição e a insolência dos poderosos e ao considerar a necessidade de amordaçá-los com algum corretivo [institucional], mas ainda, por outro lado, visando tranquilizá-los, ciente do ódio fundado no medo e a estes dirigido pela plebe, não quis que esta se constituísse numa particular atribuição do Rei: dessa forma, este seria poupado de uma possível acusação da parte dos grandes quando agisse em favor do povo e também da parte deste quando o fizesse em benefício daqueles. Instaurou, então, um terceiro como juiz para que, livre o Rei dessas acusações, reprimisse os poderosos e interviesse em socorro aos mais fracos, instituição esta que não poderia ter-se mostrado nem mais adequada nem mais prudente, nem ter-se feito mais amplo sustentáculo da segurança do Rei como do Reino[115]. E disto pode-se ainda inferir que os príncipes devem encarregar outros das ações sujeitas à protestação, mas assumir eles próprios aquelas concedentes de graça. Uma vez mais, concluo que um príncipe deve atentar ao valor dos grandes, sem fazer-se odiado pelos pequenos.

Considerando-se a vida e a morte de um ou outro Imperador romano, a muitos talvez possa afigurar-se que tais exemplos contrariam este meu parecer, afinal, entre estes, houve quem, a despeito de ter vivido de um modo egrégio e de haver dado provas de um espírito virtuoso, acabasse destituído do poder ou assassinado pelos seus, vítima de uma conspiração. Assim, para responder a estas objeções, discorrerei as qualidades de alguns Imperadores, apresentando as razões de sua ruína, não desconformes àquelas que antes aduzi, e ainda examinarei situações de fato curiosas para o leitor curioso das histórias daquele tempo. E quero crer seja-me suficiente mencionar todos aqueles Imperadores que se sucederam no trono, do filósofo Marco Aurélio a Maximino[116], quais foram: Marco[117], o seu filho Cômodo, Pertinax, Juliano, Severo, o seu filho Antonino Caracalla, Macrino, Heliogábalo, Alexandre e Maximino.

Antes de mais nada, devemos notar que, enquanto nos outros principados tem-se apenas que combater a ambição dos grandes e a insolência dos homens do povo, os Imperadores romanos houveram de defrontar-se com uma terceira dificuldade, a de ter de suportar a crueldade e a concupiscência dos seus soldados, algo que de tão árduo se tornou para muitos a causa da sua ruína. Era difícil satisfazer aos exércitos e ao povo, porquanto, se a gente simples prezava a quietude, a paz, estimando por isso os soberanos modestos, os soldados julgavam bom aquele de índole guerreira, arrogante, cruel, rapace, atributos dos quais queriam vê-lo valer-se contra o povo para que pudessem ganhar soldo dobrado e saciar sua concupiscência e crueldade.

Em decorrência disso, os soberanos que não desfrutavam de um grande prestígio – a sua natureza ou o seu talento não o permitindo –, prestígio com o qual teriam podido refrear os ânimos de ambos os lados, acabaram invariavelmente depostos. Diga-se que a maior parte deles, especialmente os que ainda jovens ascenderam ao trono, diante dos embaraços consequentes desses dois humores opostos, tendiam a satisfazer os soldados, sem fazer muito caso de contrariar os interesses do povo. E era realmente necessário que tomassem um tal partido, afinal, não podendo esses soberanos furtar-se ao ressentimento deste ou daquele em particular, deviam, primeiro que tudo, forçar-se a agir de modo a não serem odiados pela coletividade, e, na impossibilidade de evitá-lo, deviam, pelo envide de todos os esforços, escapar à ira das corporações mais poderosas dessa coletividade, razão pela qual os Imperadores que, sem o vezo do poder, careciam de favores extraordinários mais inclinavam-se a aderir aos soldados que ao povo. O proveito que daí extraíam, contudo, dependia da capacidade de cada um para fazer-se respeitado entre aqueles.

Deriva das razões acima expostas que Marco, Pertinax e Alexandre[118], os três de hábitos modestos, amantes da justiça, inimigos da crueldade, humanos e afáveis, tiveram todos um patético fim, exceto Marco, que viveu e morreu da forma mais honrada, mercê de haver subido ao trono *iure hereditario*[119], o que eximia-o da chancela dos milicianos e dos plebeus. Ademais, dotado de muitas virtudes que o faziam venerável, não permitiu, ao longo da sua vida, que qualquer dessas partes excedesse os seus limites, jamais tendo sido odiado ou desprezado. Pertinax, porém, feito Imperador contra a vontade dos soldados – os quais, avezados à vida licenciosa que lhes franquiava Cômodo, não podiam suportar aquela outra, honesta, à qual Pertinax pretendia reduzi-los – e havendo assim atraído-lhes o ódio (um ódio ao qual somou-se o desprezo por ser ele um velho), sua queda teve lugar nos começos da sua administração.

Aqui, devemos notar que tanto as boas quanto as más ações podem fazer-te angariar o ódio. Por esse motivo, conforme eu dizia acima, se, enquanto príncipe, desejas conservar o teu poder sobre o Estado, serás frequentemente compelido a portar-te de um modo nada benévolo, pois, quando a coletividade da qual entendes necessitar para firmar-te é corrupta – seja ela a populaça, os soldados ou os graúdos –, convirá satisfazê-la adequando-te a ela, ocasião em que aos teus interesses toda beneficência redundará nociva. Mas atentemos em Alexandre. Ele deu provas de tamanha bondade que, entre outros elogios que se lhe conferem, está o de jamais haver enviado alguém à morte sem um julgamento prévio, nos quatorze anos em que se manteve no poder. No entanto, tido por um fraco e por homem que se deixava governar por sua mãe, e por isso mesmo desprezado, ele foi o alvo de uma conspiração miliciana que logrou liquidá-lo.

Ora se discorro, à guisa de contraste, as qualidades de Cômodo, de Severo, de Antonino Caracalla e de Maximino[120], poderás formar a ideia de que hajam sido imensamente cruéis e rapaces, eles que, para satisfazer os soldados, não se dispensaram de cometer contra o povo nenhum tipo de arbitrariedade. Todos, exceto Severo, tiveram um desgraçado fim. Com efeito, Severo era homem de uma tal habilidade (*virtù*) que, com a reiterada adesão do exército, e mesmo impondo gravames ao povo, pôde reinar sempre venturosamente: a sua habilidade (*virtù*) fazia-o tão admirável no conceito dos soldados e dos homens do povo, que estes ficavam *quadammodo* [por assim dizer] atônitos e estupefatos, e, aqueles, reverenciosos e satisfeitos. E, porque as suas ações foram grandes e notáveis para um novo soberano, quero brevemente demonstrar o quão bem soube ele valer-se das personagens da raposa e do leão, cujas naturezas, eu dizia acima, um príncipe deve imperiosamente imitar.

Conhecendo a indolência do Imperador Juliano[121], Severo persuadiu a milícia, da qual era o capitão na Ilíria[122], da conveniência de tomarem o caminho de Roma e de vingarem o assassínio de Pertinax, o qual fora eliminado pela guarda pretoriana. Com um tal pretexto e sem deixar que transparecessem as suas aspirações ao Império, ele pôs o seu exército a marchar em direção a Roma, adentrando a Itália antes mesmo que houvesse corrido a notícia da sua partida. Uma vez em Roma, Severo foi eleito Imperador por um Senado tomado de temor, e Juliano foi assassinado. Restavam-lhe ainda, após esses primeiros passos, dois entraves para que se assenhoreasse de todo o Estado romano: um, na Ásia, onde Pescênio Negro, chefe dos exércitos asiáticos, arrogara-se o título de Imperador; o outro, no Ocidente, onde Albino aspirava igualmente ao poder imperial[123]. Considerando arriscado revelar-se inimigo de ambos, Severo decidiu-se a investir contra Negro e a iludir Albino. A este, escreveu alegando que, tendo sido eleito Imperador pelo Senado, desejava com ele, Albino, partilhar esta dignidade. Remeteu-lhe o título de César e, por uma deliberação senatorial, fê-lo o seu igual. Albino não duvidou de nada disso. Entretanto, depois de haver derrotado e eliminado Negro, e com a situação oriental normalizada, Severo, de regresso a Roma, queixou-se ao Senado de que Albino, mal agradecido pelas honras que recebera, intentara traiçoeiramente assassiná-lo, ingratidão pela qual se sentia constrito a puni-lo. Foi, em seguida, encontrá-lo na Gália, privando-lhe do poder e da própria vida.

Assim, quem se der a examinar minuciosamente as ações de Severo, nele descobrirá um leão extremamente feroz e uma raposa igualmente astuta, e o verá temido e reverenciado por todos, sem fazer-se odiado pelas milícias; enfim, não se surpreenderá pelo fato de ele, homem novo [no poder], haver podido exercê-lo sobre um tão vasto Império. Note-se que a sua altíssima reputação escudou-o perenemente do ódio que as suas rapinagens teriam permitido ao populacho contra ele dirigir. E Antonino Caracalla, seu filho, foi igualmente um homem de notabilíssimas qualidades, as quais o faziam admirado aos olhos do povo e bem aceito pelos soldados: tratava-se de um militar, de um homem extraordinariamente impermeável à fadiga, indiferente a todo acepipe e a toda delicadeza, coisas que o faziam prezado por todas as milícias. No entanto, tamanhas e tão inauditas eram a sua ferócia e a sua crueldade (um número expressivo de execuções dera cabo de uma parcela considerável do povo romano e de toda a gente de Alexandria), que ele tornou-se tremendamente odiado por todos, fazendo-se temer *etiam* daqueles que consigo privavam. Assim, Caracalla acabou sendo assassinado por um centurião das suas próprias fileiras.

Acerca de um atentado desse gênero, devemos notar que, se movido por uma vontade irredutível, jamais um príncipe terá como evitá-lo: ora, em não temendo a própria morte, qualquer um poderá perpetrá-lo. Todavia, dada a sua extrema raridade, o príncipe não carece de preocupar-se tanto, devendo apenas abster-se de maltratar qualquer daquelas pessoas que o cercam e que lhe são úteis, servindo ao seu principado. Foi justamente o que não fez Antonino, ordenando de uma forma ultrajante a morte de um irmão do tal centurião, ao qual, aliás, ele não cessava de ameaçar. *Tamén* mantinha-o em seu corpo de guarda, expediente temerário e capaz de destrui-lo, como de fato adveio-lhe.

Ora volvamo-nos a Cômodo, ao qual em nada haveria sido difícil conservar-se no poder, porquanto, sendo filho de Marco, herdara-o *iure hereditario*. Bastaria, portanto, que houvesse seguido os passos de seu pai, assim satisfazendo soldados e populares. Porém, homem de índole cruel e bestial, e visando poder submeter o povo à sua rapacidade, passou a favorecer os milicianos, no seio dos quais permitiu que medrasse a licença. Além disso, não se portando à altura da sua dignidade – amiúde apresentando-se nas arenas, em combates contra gladiadores, e protagonizando outras ações tremendamente aviltantes e pouco dignas da sua majestade imperial –, fez-se desprezível no julgar da soldadesca: destarte, odiado por uns e desprezado por outros, tornou-se o alvo de uma conspiração que culminaria com a sua morte.

Resta-me narrar os traços característicos de Maximino. As tropas, fartas que se sentiam da molície de Alexandre – sobre quem falei acima – e, sendo Maximino homem de caráter fortemente belicoso, com a morte daquele elas elegeram este como Imperador. Imperador, contudo, ele não se manteve por muito tempo, visto que duas coisas fizeram-no execrável e rejeitado: uma, a sua modestíssima procedência – na Trácia, ele fora pastor de ovelhas, e, disso, todos estavam ao fato, o que muito envilecia-o no conceito geral –; a outra, o fato de que, no início do seu reinado, havendo diferido o seu ingresso em Roma e a tomada efetiva do seu assento imperial, deixara propagar-se a sua fama de homem barbaramente cruel, exercendo, através dos seus prefeitos, em Roma como alhures no Império, toda a sua imensa tirania. Assim, quando todos viram-se invadidos pelos sentimentos de desdém – em virtude da sua origem humilde – e de ódio – mercê do terror que infundia a sua ferocidade –, eclodiram as rebeliões: primeiro, a África; depois, o Senado com todo o povo de Roma. Num dado momento, toda a Itália conspirava contra ele. A todos somou-se o seu próprio exército. Este, enquanto sitiava Aquileia e mensurava as dificuldades de uma expugnação – enfastiado que estava pela crueza do chefe –, percebeu que muitos inimigos já não o temiam tanto: os dias de Maximino chegavam ao fim.

Eu não desejaria arrazoar nem sobre Heliogábalo, nem acerca de Macrino, tampouco sobre Juliano[124], os quais, inteiramente aviltados que foram, não tardaram a desaparecer, mas, sim, dirigir-me à conclusão deste discurso. Farei lembrar que, em seus governos, os príncipes destes nossos tempos experimentam menos intensamente aquela dificuldade que consistia em ter de satisfazer os soldados de um modo extraordinário. Isto porque, não obstante deva-se a estes reservar alguma consideração, *tamen* esse constrangimento não pode perdurar, porquanto nenhum destes príncipes tem, nas províncias, a companhia de exércitos tão inveteradamente estabelecidos quanto os seus próprios governos e administrações, coisa que ocorria com as milícias do Império Romano. Essa, afinal, é a razão pela qual então impunha-se a necessidade de atender-se aos interesses dos soldados mais que àqueles do povo: os soldados eram, entre todos, os mais fortes. Hoje, para todos os príncipes, exceto para o Grão-turco e para o Sultão[125], há maior necessidade em satisfazer-se o povo que as tropas, visto que o seu poder é maior que o destas.

Anotei essa exceção quanto ao Grão-turco em virtude de ele manter permanentemente em torno a si doze mil infantes e quinze mil cavaleiros, dos quais dependem a segurança e a força do seu Reino. À vista disso, esse soberano deve zelar pela constante adesão dos mesmos, pospondo toda e qualquer deferência a terceiros. Do mesmo modo, estando o Reino do Sultão inteiramente nas mãos dos soldados, convém que também ele, sem deferir aos apelos do povo, mantenha-os ao seu lado. E deveis notar que este Estado sultanesco difere de todos os outros Estados e assemelha-se ao Pontificado cristão, o qual não podemos chamar nem de principado hereditário, nem de principado novo, porquanto os filhos do antigo príncipe não são seus herdeiros, nem mantêm o senhorio, mas elevam-se a essa dignidade aqueles que são eleitos pelos que para tanto possuem a autoridade. Sendo esta uma antiga instituição, não podemos assimilá-la aos principados novos, sobretudo porque nela não se revelam quaisquer daquelas dificuldades inerentes a estes: se bem que o príncipe seja novo, as normas desse Estado são ancestrais, e, pelo seu instituto, este o acolhe como fosse ele um soberano hereditário.

Mas voltemos ao tema que nos ocupa. Quem quer que considere o precedente discurso, assevero, verá que desrespeito e ressentimento foram as causas da ruína dos Imperadores mencionados. Perceberá ainda o porquê (alguns deles procedendo de uma forma e outros de uma forma contrária) de ter havido, entre aqueles como entre estes, quem morresse gloriosa ou desgraçadamente. Príncipes novos que eram, foi inútil e danosa, tanto a Pertinax quanto a Alexandre, a pretensão de imitar Marco, cujo trono fora herdado *iure hereditario*. De um modo símile, foi coisa perniciosa para Caracalla, para Cômodo e para Maximino imitar Severo, visto que não possuíam qualidades (*virtù*) bastantes que lhes permitissem seguir os passos deste. Portanto, um príncipe novo num principado nascente não pode querer imitar as ações de Marco, nem tampouco é mister que siga na trilha das de Severo. De Severo, entretanto, deverá tomar-se das qualidades indispensáveis para que possa fundar o seu Estado, e, de Marco, daquelas que, úteis e notáveis, lhe permitirão conservar este Estado, já estabilizado e forte.

XX

Se as fortalezas e tantas outras coisas
produzidas pela ação quotidiana
dos príncipes são úteis ou não

*An arces et multa alia quae cotidie
a principibus fiunt utilia an inutilia sint*

Alguns príncipes, visando manter com toda segurança os seus domínios, desarmaram os seus súditos; alguns outros fomentaram divisões no interior das terras conquistadas; alguns nutriram inimizades contra si mesmos; outros, ainda, aplicaram-se a aliciar aqueles que lhes eram suspeitos nos primórdios dos seus governos; alguns edificaram fortalezas; outros, enfim, arrasaram-nas e destruíram-nas. E, conquanto acerca disso tudo não possamos emitir um juízo sem atentarmos para as particularidades daqueles Estados onde impunham-se tais decisões, ainda assim falarei daquela forma abrangente que, pela sua natureza, este tema comporta.

Jamais aconteceu de um príncipe novo haver desarmado os seus súditos. Pelo contrário, ao encontrá-los desarmados, viu-se que ele sempre tratou de armá-los. Nota que, armando-os, estas armas tornam-se tuas; que os que te pareciam suspeitos fazem-se fiéis e que os que sempre o foram assim conservam-se, de súditos convertendo-se em teus seguidores. E, dado que nem todos os súditos poderão ser armados, ao concederes a uns o benefício desse dom, com os outros poderás agir de um modo mais seguro. Enquanto aqueles fazem-se gratos por essa diferença de tratamento, estes desculpam-te, ponderando a necessidade de que sejam melhor aquinhoados os que, achando-se mais empenhados, maiores perigos defrontam. Ao desarmá-los, porém, tu partes pela via da ofensa e mostras que deles desconfias, seja por sua poltronice, seja por sua perfídia, ambas as opiniões engendrando o ódio de que te tornas objeto. Não podendo quedar-te indefeso, acabas tendo de recorrer às milícias mercenárias, sobre cujo valor falamos acima. De resto, mesmo quando prestadias, estas não podem bastar-te na defesa contra inimigos poderosos e contra súditos suspeitos.

Por isso, conforme eu dizia, um príncipe novo num principado nascente jamais escusou-se de organizar os seus exércitos, e disso a história está repleta de exemplos. Quando, porém, um príncipe conquista um novo Estado, que como um membro ele anexa ao seu antigo, então faz-se necessário desarmá-lo, ressalvando apenas aqueles que, por ocasião da conquista, se postaram ao seu lado, e, mesmo esses, com o tempo e o sucedimento dos fatos, deverão ser desmobilizados e privados de todo o poder de ação. Quanto a ti, deverás ordenar as tuas forças de um modo que somente os teus próprios soldados portem consigo as armas disponíveis em teu Estado, soldados que vivem nos domínios mais antigos do principado, não distantes de ti.

Os nossos antepassados – e aqueles que eram tidos por judiciosos – costumavam dizer da necessidade de conservar Pistoia por meio de rivalidades partidárias e Pisa por meio de fortalezas, motivo pelo qual fomentavam dissensões em alguns dos seus domínios a fim de controlá-los mais facilmente. Isto devia ser o melhor a fazer naqueles tempos em que a Itália vivia em um relativo equilíbrio[126]. Contudo, não creio que tal possa, hoje, ser dado como preceito. Tampouco creio que das divisões se possa algum dia extrair qualquer proveito. Antes, parece-me inevitável que, em aproximando-se o inimigo, uma cidade dividida não demore a cair, já que a facção mais fraca aderirá às forças externas e que a outra não poderá reagir.

Os venezianos, movidos, penso eu, por essas considerações, sustentavam os partidos guelfo e gibelino nas cidades por eles dominadas, e, conquanto jamais permitissem que suas contendas fizessem-se sangrentas, *tamen* nutriam entre eles estas desavenças a fim de que, ocupados em suas divergências, aqueles cidadãos não se unissem contra eles, expediente que, como se viu a seguir, não surtiu os pretendidos efeitos, uma vez que, derrotados em Vailá, algumas daquelas cidades ganharam alento e arrebataram-lhes o Estado todo. Ações dessa ordem, portanto, revelam a fragilidade de um príncipe, visto que, num principado solidamente implantado, semelhantes divisões jamais seriam permitidas: somente em tempo de paz, quando, mediante elas, ele pode mais facilmente manear os seus súditos, essas lhe têm valia, porquanto, com o advento da guerra, uma tal política mostra-se inteiramente falaz.

Não restam dúvidas de que os príncipes tornam-se grandes em superando as dificuldades e as oposições que lhes são feitas. É por isso que a fortuna – mormente para engrandecer um príncipe novo, cuja necessidade de obter renome é maior que a de um príncipe hereditário – cria-lhe inimigos que lhe impõem obstáculos e entraves: é por querer estimulá-lo a superá-los e a sobre todos elevar-se, no galgar dos degraus que estes próprios lhe proporcionam. Muitos, aliás, preconizam que um príncipe cauto deva, em havendo a ocasião, alimentar astuciosamente algumas inimizades no intuito de que, ao subjugá-las, resulte ainda maior a sua grandeza.

Muitos príncipes, e *praesertim* [especialmente] os novos, puderam encontrar mais serventia e mais lealdade em homens que nos primeiros tempos dos seus governos eram tidos por suspeitos do que naqueles que, nessa época, eram merecedores da sua absoluta confiança. Pandolfo Petrucci, senhor de Siena, governava o seu Estado mais com aqueles que um dia infundiram-lhe suspeita que com os outros[127]. Contudo, falar extensivamente sobre esse tema é impossível, porquanto ele varia de acordo com os casos particulares. Direi simplesmente o seguinte: será sempre imensamente fácil para um príncipe aliciar aqueles homens que lhe tenham sido hostis na origem do seu principado se estes carecerem de um apoio para manter-se. Ademais, a lealdade no servi-lo será forçosamente maior na medida em que compreenderem a necessidade de expungir com os seus atos a sinistra impressão que sobre eles se havia formado. Assim, esses homens acabam mostrando-se ao príncipe mais prestimosos do que aqueles que, servindo-o de um modo caucionante, descuram dos seus [mais ambiciosos][128] projetos.

Exigência do próprio tema, não quero furtar-me de lembrar a um príncipe que haja recentemente tomado um Estado com o favor da sua população da conveniência de considerar detidamente que motivos moveram aqueles que o auxiliaram a assim agir: se não se tratava de uma natural simpatia pela pessoa mas de um puro e simples descontentamento em face do precedente governo, será com grandes e penosas dificuldades que ele poderá conservar a sua adesão, porquanto parece-me impossível que possa verdadeiramente vir a contentá-los. Examinando atentamente a causa disso, e fazendo-o à luz dos exemplos emanados das realidades antiga e moderna, ele verá que muito mais fácil é obter a adesão daqueles que se sentiam satisfeitos com a regência anterior – e que, por isso, ele, num dado momento, teve por inimigos – do que aqueles que, com ela descontentes, se fizeram seus aliados, auxiliando-o em sua empresa de ocupação.

Visando preservar o mais seguramente os seus principados, um costume dos chefes vem sendo o de erguer fortalezas que não apenas sirvam de brida e de freio àqueles que poderiam intentar atacá-los mas de refúgio inexpugnável para o caso de uma súbita rebelião. Louvo esse modo de proceder, visto que é praxe ancestral. Entretanto, em nossos dias, pôde-se ver *Messer* Niccolò Vitelli destruir duas fortalezas na Città di Castello para ali assentar o seu poder[129]. Guidobaldo, Duque de Urbino[130], de volta aos seus domínios, de onde fora expulso por César Bórgia, arrasou *funditus* [até os alicerces] todas as cidadelas desse território na convicção de que, sem elas, seria muito mais difícil perdê-lo novamente. E os Bentivogli, havendo retomado Bolonha, agiram de igual maneira[131]. Acerca disso, pode-se então dizer o seguinte:

O príncipe que mais teme ao povo que aos estrangeiros deve construir fortalezas, mas aquele a quem os estrangeiros atemorizam mais que a gente local não deve preocupar-se com tais coisas. À casa Sforza, mais do que qualquer outra revolta popular, trouxe e ainda trará grande infortúnio o castelo de Milão, edificado por Francesco Sforza. Infere-se daí que não pode haver cidadela melhor que a benquerença do povo, porquanto, mesmo que disponhas de uma fortaleza, se o povo te malquer ela não poderá salvar-te, e sabemos que estrangeiros nunca faltam a apoiar uma população que pega em armas. Em nossos tempos, não se sabe de um só baluarte que haja dado proveito a um soberano, salvo à Condessa de Forli[132], após a morte do seu consorte, o Conde Jerônimo: ela valeu-se de uma dessas fortificações para fugir ao ímpeto popular e esperar o socorro de Milão, recuperando depois o seu senhorio. Note-se que os tempos não propiciavam a que um senhor forasteiro acorresse em auxílio à gente local. Mais adiante, porém, tampouco à Condessa os bastiões fizeram-se úteis: foi quando César Bórgia acometeu-a, e o povo, que a tinha por inimiga, postou-se ao lado do estrangeiro. Assim, dessa vez como da primeira, mais seguro que possuir um forte teria sido não se fazer odiada pela populaça. Então, tudo isso considerado, enalteço aquele que ergue fortalezas como aquele que não as constrói, e censuro quem quer que, fiando-se nesses castelos, desdenha os maus sentimentos que lhe reserva a gente do povo.

XXI

Como deve portar-se um príncipe para fazer-se benquisto

Quod principem deceat ut egregius habeatur

Nada faz um príncipe ser tão estimado quanto o fazem as suas grandes ações[133] e os notáveis exemplos que ele de si oferece. Temos, nos dias que correm, Fernando de Aragão, o atual Rei da Espanha. Este, talvez possamos chamá-lo de *soberano emergente*[134], visto que de Rei fraco ele transformou-se, pela fama e pela glória adquiridas, no Rei maior da cristandade[135]: examinando as suas ações, vereis que são todas elas de grande vulto, algumas extraordinárias. Ele, no introito do seu reinado, lançou-se num ataque contra Granada, empresa que representou o fundamento dos seus poderes territoriais[136]. De início, agiu sem sofrer qualquer restrição e sem o receio de ver-se obstruído: ocupou, com esse arrojo, os espíritos dos barões de Castilha, os quais, com as suas atenções concentradas nessa guerra, não cogitavam em novas ações. Dessa forma, ele adquiria reputação e assentava o seu império sobre aqueles que, de resto, deste não se apercebiam. Pôde sustentar os seus exércitos com o dinheiro da Igreja e do povo[137] e pôde firmar, com esse longo confronto, as bases da sua milícia, milícia que, a partir de então, concorreu para a sua glória. Além disso, para poder empreender ações ainda maiores, e servindo-se sempre da religião, ele lançou mão de uma devota crueldade, espoliando os marranos e expulsando-os do seu Reino[138], gesto que não poderia ser nem mais deplorável, nem mais invulgar. Sob o manto desse mesmo pretexto, ele atacou a África, fez a campanha da Itália e, por fim, assaltou a França[139]. Assim, Fernando caracterizou-se por fazer e urdir ações de monta, as quais sempre mantiveram os seus súditos em ânsia, embasbacados e na expectativa do seu sucesso. E, uma sobrevindo à outra, essas suas ações foram empreendidas de um modo a não dar ensejo a que, entre uma e outra, esses homens pudessem agir tranquilamente contra ele.

Um príncipe também extrai grande utilidade dos altos exemplos que dá acerca dos negócios internos do seu Estado, tais quais aqueles contados sobre *Messer Barnabé de Milão*[140], [exemplos inspirados pela seguinte norma:] assaz positiva ou negativa, a atitude adotada por qualquer pessoa em sua vida civil deve ser premiada ou punida de um modo que repercuta fortemente. Mas, acima de tudo, um príncipe deve esmerar-se para oferecer de si, em cada gesto seu, a ideia de um homem com grandeza e que excele no pensar.

É igualmente bem visto o príncipe que se mostra um verdadeiro aliado ou um verdadeiro inimigo, isto é, que de modo algum acautela-se ao revelar-se em favor de um e contra um outro, partido este que sempre será mais proveitoso que o de manter-se neutro. Com efeito, se dois poderosos vizinhos teus encetarem um embate, das duas uma: ou os seus feitios prenunciam que, um deles triunfando, deverás temer o vencedor, ou [um tal temor] não [se justifica]. Em qualquer desses dois casos, tirarás sempre um maior proveito assumindo claramente uma posição e tomando parte no conflito. No primeiro caso, se não a assumires, serás inevitavelmente a presa do vitorioso, o que trará satisfação e comprazerá ao derrotado, e não contarás com justiça que te defenda nem com gesto algum que te ampare: quem vence não deseja alianças suspeitas que não se solidarizam na adversidade; quem perde não te dá guarida por não haveres aceito, em posse de armas, correr a sua sorte.

Introduzido pelos etólios, Antíoco adentrara a Grécia com o fim de expulsar os romanos[141] e agora enviava os seus oradores à Acaia (aliados que eram os aqueus dos romanos) para convencê-los da conveniência de uma posição equidistante. Por seu turno, os romanos procuravam persuadi-los a pegar em armas pela sua causa. Essa matéria foi discutida no conselho dos aqueus, onde, ao pleitear de um legado de Antíoco pela neutralidade, o seu homólogo romano redarguiu: *Quod autem isti dicunt non interponendi vos bello, nihil magis alienum rebus vestris est: sine gratia, sine dignitate, praemium victoris eritis*[142].

E isto sempre acontecerá: aquele que não é teu amigo te solicitará a neutralidade e aquele outro, mais amistoso para contigo, rogará para que te declares com as armas. Os príncipes irresolutos, para escapar a esses perigos, seguem, o mais das vezes, pela via da neutralidade, e o mais das vezes caem em ruína. Quando, porém, um príncipe declara-se bravamente em favor de uma das partes, [duas coisas podem suceder:] se vencer aquele que contou com a tua adesão, ainda que à sombra do seu poder tu fiques à sua mercê, ele haverá contraído obrigação para contigo e a vossa aliança estará firmada: a torpeza dos homens jamais chegará a ferir-te com uma tamanha mostra de ingratidão. Ademais, as vitórias jamais são tão genuínas que o vencedor possa eximir-se de respeitar certos preceitos, especialmente os da justiça. Todavia, se aquele ao qual te aliaste for derrotado, dele tu receberás o asilo, e, enquanto puder, ele te arrimará: tu devirás o seu companheiro de fortuna, uma fortuna que, aliás, poderá muito bem restaurar-se. No segundo caso, quando a índole daqueles envolvidos no conflito não justifica que tenhas de temer o vencedor, ainda maior prudência haverá no aliar-te a um dos lados: tu promoverás a ruína de um com o auxílio daquele que (fosse previdente) deveria preservá-lo, afinal, anulando-o nesta derrota – e é impossível que com a tua ajuda não o derrote –, acabará, *ele*, submisso à tua vontade.

A esta altura, é preciso ter claro que um príncipe deve mostrar a cautela de jamais unir-se a um outro mais poderoso que ele com o fim de atacar terceiros, salvo se a necessidade o constrange, como antes se disse: em caso de vitória, tu te tornas o seu prisioneiro, e um príncipe deve evitar tanto quanto possa este estado de dependência face a um outro. Os venezianos postaram-se ao lado da França contra o Duque de Milão[143], conquanto pudessem furtar-se a essa aliança que acabou dando lugar à sua derrocada. Entretanto, em não se podendo evitá-lo (como interveio aos florentinos quando o Papa e a Espanha avançaram com os seus exércitos num ataque à Lombardia[144]), então o príncipe deve firmar a sua adesão pelas razões supraditas. Que nunca [o chefe de] um Estado suponha poder, em qualquer circunstância, tomar um partido sem riscos; ao contrário, que ele tenha presente que todos os partidos são incertos, visto que é da ordem natural das coisas que ao procurar-se evadir um inconveniente incorra-se em um outro. A prudência, ela, consiste em saber-se reconhecer a extensão dos inconvenientes e tomar por bom o que é menos ruim[145].

Ademais, um príncipe deve mostrar-se um apreciador das virtudes alheias, acolhendo os homens talentosos (*virtuosi*) e dignificando os que excelem em uma arte [ou em um ofício]. Nesta linha, deve estimular os seus cidadãos para que estes possam tranquilamente exercer as suas atividades, quaisquer que sejam elas, tanto no comércio quanto na agricultura, de sorte que o lavrador embeleça a sua propriedade sem o temor de vê-la um dia ser-lhe confiscada, e que o negociante instaure o seu comércio sem sentir-se ameaçado pelos impostos[146]. Por outro lado, o príncipe deverá estipular recompensas para aqueles que entendem realizar coisas ou para quem quer que se proponha de algum modo a concorrer para o crescimento da sua cidade ou do seu Estado. Além disso, nos períodos mais propícios do ano, ele deverá recrear a população com festas e espetáculos. E pois que cada cidade é dividida em corporações de ofício ou em grupos [culturalmente coesos], ele ainda deverá dispensar a sua atenção a estas comunidades, vez por outra reunir-se a elas, oferecer-se como um exemplo de benevolência e de munificência, conservando não obstante sempre aprumada a altivez da sua posição, regra da qual jamais e em nada ele deverá apartar-se.

XXII

Dos ministros dos príncipes

De his quos a secretis principes habent

Não é algo de pouca importância para um príncipe a escolha dos seus ministros, os quais serão ou não serão bons conforme a sensatez que ele revelar. O primeiro juízo que, por conjetura, formamos das faculdades intelectuais de um soberano ampara-se no conceito que fazemos dos homens que ele tem em torno a si. Quando estes são capazes e fiéis, podemos reputá-lo indubitavelmente inteligente, porquanto soube reconhecer-lhes as capacidades e conservá-los fiéis. Todavia, quando estes assim não são, deste soberano realmente não podemos formar um bom juízo, visto que o seu primeiro erro ele já o cometeu nessa escolha. Ninguém que haja conhecido *Messer* Antonio da Venafro[147] como ministro de Pandolfo Petrucci – senhor de Siena – deixou de ter Pandolfo na conta de um homem de grande mérito: um tal ministro valia-lhe essa reputação.

E porque existem três espécies de inteligência – uma, que apreende por si mesma; outra, capaz de discernir orientada pela percepção alheia, e uma terceira, inepta para ambas essas modalidades de entendimento – e também pelo fato de a primeira ser excelente, de a segunda ser muito boa e de a terceira ser simplesmente inútil, fazia-se necessário que Pandolfo, não gozando daquela do primeiro e mais alto grau, fruísse a do segundo. Ora, todas as vezes em que um príncipe revelar lucidez o bastante para apreciar o bem e o mal que um outro faz ou proclama, mesmo lhe faltando o engenho espontâneo ele distinguirá as boas e as más ações do seu ministro, exaltando aquelas e punindo estas, de sorte que este não poderá pretender enganá-lo e tampouco subverterá a ordem.

Mas como pode um príncipe conhecer o seu ministro? Eis aqui um método absolutamente infalível: ao veres que este ministro preocupa-se mais consigo do que contigo e que por trás de cada uma das suas ações ressai a busca do seu pessoal proveito, terás o sinal de que um homem de tal feitio jamais haverá de ser um bom ministro e o de que em circunstância alguma poderás nele confiar. De fato, aquele que tem em suas mãos [um grande poder sobre] o Estado de um príncipe não deve nunca pensar em si, mas sim – e sempre – neste senhor, cuja atenção ele não ocupará com assuntos que não lhe sejam atinentes. Por outro lado, para mantê-lo em boa conduta, o príncipe deve ocupar-se do seu ministro, conferindo-lhe honras, fazendo-o rico, obrigando-o para consigo, atribuindo-lhe distinções e responsabilidades, a fim de que este compreenda não poder subsistir sem ele, de modo que as muitas honrarias não lhe agucem o desejo de outras mais, que as muitas riquezas não lhe despertem a ambição por outras mais, e que as suas altas responsabilidades animem-lhe o temor das mudanças. Destarte, quando os ministros e os príncipes (com respeito a esses ministros) assim se apresentam, eles podem fiar-se uns nos outros; quando não, o fim será invariavelmente nefasto, para aqueles ou para estes.

XXIII

Como escapar aos aduladores

Quomodo adulatores sint fugiendi

Não desejaria omitir-me acerca de um ponto importante, de um erro que os príncipes dificilmente safam-se de cometer se não são homens de grande prudência ou se não têm o tirocínio de escolher com acerto [aqueles que os cercam]. Trata-se aqui dos aduladores, dos quais as cortes acham-se repletas. De fato, os homens comprazem-se tanto nas coisas que lhe são próprias e iludem-se de um tal modo, que só dificilmente logram resguardar-se desta peste (e, ao procurarem evitá-la, correm ainda o risco de um aviltamento). Com efeito, não haverá outro modo de evitares as bajulações a não ser que cada qual entenda que não estará contrariando-te ao dizer-te a verdade. Cada qual podendo dizer-te a verdade, porém, é o respeito que se fará ausente.

Por isso, um príncipe prudente deverá seguir por uma terceira via, selecionando em seu Estado homens que sejam avisados, somente aos quais ele dará a liberdade para que lhe falem a verdade, e apenas acerca do que lhes for perguntado e não de outras coisas. Ele deverá, no entanto, interrogá-los sobre tudo e ouvir as suas opiniões, deliberando depois por si mesmo e ao seu modo; deverá ainda, com estas decisões e perante cada um deles, portar-se de uma forma que todos percebam que quanto mais livremente lhe falarem tanto melhor serão aceitos. À exceção destes, o príncipe não procurará escutar mais ninguém; executará o que estiver deliberado e se obstinará em suas resoluções. Quem agir de um outro modo, ou decairá pela ação dos aduladores ou mostrar-se-á inconstante devido à variedade das opiniões ouvidas, o que o fará pouco respeitado.

A propósito disso, quero aduzir um exemplo dos nossos dias. O padre Lucas[148], um próximo de Maximiliano – este, hoje Imperador –, referindo-se à Sua Majestade, revelou que este não busca o conselho de quem quer que seja e que tampouco faz coisa alguma à sua guisa, expressão de uma conduta inversa à que acabamos de enunciar. O Imperador, de fato, é um homem reservado, que não expõe a ninguém os seus desígnios e que jamais demanda qualquer parecer. Sem embargo, ao tentar realizá-los, tais desígnios passam a ser conhecidos e, uma vez descobertos, passam a ser contraditados por aqueles que ele tem à sua volta. Frouxo, lânguido, ele acaba abrindo mão dos seus intentos. Daí resulta que aquilo que ele faz num dia desfaz no outro; que jamais compreenda-se o que ele quer ou pretende fazer, e que seja impossível fundar-se nas suas decisões.

Um príncipe, portanto, deve sempre buscar conselho, mas apenas quando ele o quer, não quando o querem os outros; antes, deve dissuadir cada qual de aconselhá-lo quanto a isso ou aquilo sem que ele haja pedido. Contudo, estes avisos, ele os deverá solicitar amiúde, e, então, ser um paciente ouvidor das verdades respeitantes às questões propostas. Contrariamente, ao perceber que, por razões de deferência, alguém sonega-lhe uma verdade, terá de mostrar-se francamente amuado. Enganam-se, evidentemente, os muitos que pensam que um príncipe que inspira de si a ideia de um prudente faça jus a um tal conceito mercê apenas dos bons conselhos que recolhe ao seu redor e não de sua natureza pessoal. Ora, esta é uma regra geral que não falha jamais: um príncipe por natureza insensato não pode valer-se dos bons conselhos, a menos que, por ventura, ele remeta-se a um único conselheiro, homem este de um grande aviso. Nesse caso, o príncipe poderia encontrar-se em boa situação, mas esta duraria pouco porquanto um tal orientador não tardaria a arrebatar-lhe o Estado. Inversamente, ao buscar o conselho de muitos e não recolhendo jamais conselhos coincidentes, um príncipe sem sabedoria tampouco saberia com o seu juízo combiná-los. Quanto aos conselheiros, cada um pensará em si mesmo, e o príncipe, incapaz de constatá-lo, não saberá puni-los. Ademais, não é possível que encontremos um que seja diferente: os homens mostrar-se-ão sempre pérfidos para contigo se não provarem da necessidade de fazerem-se bons. Em virtude disso, concluímos que os bons conselhos, de onde quer que emanem, despontam forçosamente da sensatez do príncipe, e não a sensatez do príncipe dos bons conselhos.

XXIV

Por que os príncipes da Itália perderam os seus Estados[149]

Cur Italiae principes regnum amiserunt

As coisas sobreditas, se inteligentemente observadas, farão com que um príncipe novo pareça um soberano experimentado, e de imediato elas o tornarão mais seguro e mais estável na chefia do Estado que se desde os mais priscos tempos ele ali se achasse instalado. De fato, um príncipe novo é muito mais atentamente observado em suas ações que um príncipe hereditário, e, quando estas são julgadas virtuosas, elas angariam muito mais a simpatia dos homens e granjeiam bem mais a sua afeição que a antiguidade do sangue. Os homens, com efeito, apegam-se mais fortemente às coisas presentes do que àquelas do passado, e quando nas presentes eles deparam o bem, desfrutam-no e não ambicionam mais nada; antes, tomarão a defesa do príncipe por todas as formas, contanto que este, quanto ao mais, não se abstenha às suas obrigações. Assim, ele contará a dupla glória de haver dado origem a um principado e de tê-lo incrementado e consolidado com boas leis, com bons exércitos, com bons aliados[150] e com bons exemplos, bem como o outro a dupla nódoa de, havendo nascido príncipe, tê-lo perdido devido à sua pouca prudência.

E se considerarmos aqueles senhores[151] que, na Itália destes nossos tempos, foram destituídos dos seus domínios, como o Rei de Nápoles, o Duque de Milão e outros mais[152], neles encontraremos, primeiro, uma mesma deficiência quanto às milícias – por razões sobre as quais versamos longamente acima –; depois, veremos que, entre eles, houve quem atraísse a inimizade popular ou quem, tendo do povo a amizade, não soubesse proteger-se dos grandes. Pudera! Não houvessem incorrido nessas faltas, como teriam perdido Estados possuidores de força suficiente para pôr um exército em campanha? Filipe da Macedônia, não o pai de Alexandre mas aquele que foi derrotado por Tito Quinto[153], não dominava um grande território comparado aos poderosos romanos e gregos que o acometeram. No entanto, por ser ele um militar que sabia manter boa relação com o povo e precatar-se com os grandes, por longos anos pôde sustentar uma guerra contra aqueles, e se, ao final, perdeu o controle de algumas cidades, restou-lhe, não obstante, o Reino.

Portanto, estes nossos príncipes, que por tantos anos regeram os seus Estados, não devem imputar à sorte (*fortuna*), mas à sua própria letargia, o fato de mais tarde os haverem perdido. Não havendo nunca em tempos calmosos cogitado que tais ventos poderiam mudar (o que é um vício comum a todos os homens, o não importar-se com a tempestade no perdurar da bonança), em sobrevindo a adversidade eles pensaram em fugir e não em defender-se, aguardando que o povo, farto da insolência dos vitoriosos, reclamassem enfim a sua volta. Na falta de outros, esse pode ser um bom expediente, mas é bem inconsistente o plano de preterir-se outras soluções em favor desta; afinal, jamais desejarias um tombo baseando-te na certeza de encontrares alguém que te reerguesse. Isso, ou de fato não ocorre, ou, se ocorre, não te traz qualquer segurança, pois esta é uma defesa covarde, alheia do teu controle. Somente são boas, são seguras, são duradouras aquelas defesas dependentes de ti mesmo e do teu valor (*virtù*).

XXV

O quanto influi a fortuna nas coisas
humanas e como reagir a elas

*Quantum fortuna in rebus humanis possit,
et quomodo illi sit occurrendum*

Não ignoro que muitos foram e que tantos ainda são da opinião de que as coisas que sucedem no mundo veem-se de tal forma governadas pela fortuna e por Deus que os homens, com a sua sabedoria, não poderiam retificá-las e que nem sequer haveria meio de remediá-las. Baseados nisso, eles depreendem que, para defini-las, menos valeria esforçar-se em demasia que se entregar ao regimento da sorte. Tal opinião recebeu um grande crédito nestes nossos tempos em razão das grandes transformações que vimos e que ainda vemos, a cada dia, superar todas as humanas conjeturas. Meditando-o, eu mesmo, algumas vezes, senti-me parcialmente inclinado a aceitar esse juízo.

No entanto, visto que não é nulo o nosso livre arbítrio, creio poder ser verdadeira a arbitragem da fortuna sobre a metade das nossas ações, mas que *etiam* ela tenha-nos deixado o governo da outra metade, ou cerca disso. E eu a comparo a um destes rios torrentosos que, em sua fúria, inundam os plainos, assolam as árvores e as construções, arrastam porções do terreno de uma ribeira à outra: todos, então, fogem ao seu irromper, nenhum homem resiste ao seu ímpeto, cada qual incapaz de opor-lhe um único obstáculo. E, em que pese a assim serem [esses rios], aos homens não é vedada, em tempos de calmaria, a possibilidade de obrar preventivamente diques e barragens, de sorte que, em advindo uma nova cheia, as suas águas escoem por um canal ou que o seu ímpeto não seja nem tão incontrolável, nem tão avassalador.

De um modo análogo intervém a fortuna, a qual manifesta o seu poder onde não há forças (*virtù*) organizadas que lhe resistam; ela, que volve o seu furor aos locais onde sabe que não foram construídos nem diques nem barragens para refreá-la. E se considerardes a Itália, que é a sede dessas transformações às quais ela mesma deu impulso, vereis que é uma campanha sem diques e sem qualquer barragem, e mais: que, fora ela dotada dos necessários reforços (*virtù*), como a Alemanha, a Espanha e a França, e essas cheias não haveriam provocado convulsões tão grandes, ou nem ao menos teriam ocorrido. E, com isto, espero ter dito o bastante sobre a oposição que se pode fazer à fortuna *in universali* [de um modo geral].

Adstringindo-me ao que há de particular em um príncipe, digo que hoje vemo-lo prosperar e amanhã cair em desgraça sem que demos tento de uma só mudança em sua natural forma de ser e de proceder, o que, creio eu, decorre principalmente das razões antes longamente explanadas, a saber, que um príncipe que se arrima tão somente na fortuna sucumbe ao variar desta. Creio igualmente que é feliz aquele que coaduna o seu modo de operar com as condições da sua época, e que, de um modo símile, é desditoso aquele cujo procedimento com estas conflita.

Reparamos que os homens, em relação àquelas coisas que os conduzem aos fins que cada um persegue – isto é, às glórias e às riquezas – procedem diversamente: um, com circunspecção; o outro, com impetuosidade; um, valendo-se da violência; o outro, da habilidade; um, com a paciência; o outro, com o seu contrário; e cada qual, com esses vários modos de portar-se, podendo atingir o seu intento. Notamos também, de dois homens cautos, que um realiza o seu propósito e o outro não, e, paralelamente, que dois homens alcançam o mesmo êxito atuando de maneiras diferentes; um, sendo ponderado; o outro, sendo veemente – o que não é consequência senão das condições das diferentes épocas, que se conformam ou não às suas formas de agir. O resultado disso, já o referi: dois que se conduzem diversamente logram o mesmo resultado e dois outros, agindo de forma idêntica, um atingirá o seu objetivo e o outro não.

A isso subordina-se igualmente o caráter cambiante do sucesso: se um [homem, príncipe...] pautar as suas ações pela prudência e pela paciência, e se os tempos e as circunstâncias correrem de um modo compatível com a sua conduta, ele será venturoso. Se os tempos e as circunstâncias, porém, mudarem, ele cairá em ruína não alterando o seu comportamento. É raro encontrarmos um homem tão sensato que saiba acomodar-se a essa realidade, seja por incapacidade de apartar-se daquilo a que a sua natureza o inclina, seja *etiam* porque, havendo sempre prosperado ao seguir por uma determinada trilha, não pode persuadir-se a desviar-se dela. O homem circunspecto, ao chegar a hora de fazer-se impetuoso, retrai-se, inepto; donde a sua completa decadência. Afizesse-se ele ao seu tempo e à sua realidade e permaneceria inalterada a sua sorte (*fortuna*).

O Papa Júlio II, em todas as suas ações, mostrou-se um homem impetuoso, e tanto a época quanto as situações que teve em face de si conformaram-se ao seu modo de agir, modo este que sempre surtiu bons resultados. Considerai a sua primeira campanha, feita contra Bolonha, quando ainda vivia *Messer* Giovanni Bentivogli. A empresa fazia os venezianos descontentes; o Rei da Espanha, da mesma forma; e suscitava parlamentações com a França. A despeito disso, com a sua braveza e com o seu ímpeto, ele lançou-se pessoalmente naquela expedição. O seu avanço fez com que espanhóis e venezianos quedassem indecisos e estáticos: estes, estarrecidos; aqueles, desejosos de reaver todo o Reino de Nápoles[154]. À parte isso, ele conquistou a adesão do Rei de França, o qual, vendo-o avançar, e interessado numa aliança que faria vulneráveis os venezianos, entendeu não poder negar-lhe os seus homens sem ofendê-lo manifestamente.

Júlio, assim, com a sua impetuosa marcha, levou a efeito aquilo que jamais outro pontífice, com toda a prudência humana, teria levado, porquanto, se para partir de Roma ele houvesse esperado que acordos fossem firmados e que a ordem se restabelecesse – como o teria feito qualquer outro Papa –, jamais haveria ele chegado a bom termo: o Rei da França teria pretextado mil e uma desculpas e os outros incutido-lhe mil e um receios. Pretendo deixar de lado as suas demais ações, visto que todas mostraram parecença e que todas tiveram um bom fim. De resto, a brevidade da sua vida não lhe permitiu experimentar o contrário[155]. Vivera ele a hora em que necessitasse agir com ponderação e haveria sobrevindo a sua perda: jamais ele se teria afastado daqueles modos para os quais a natureza o fazia predisposto.

Dito isso, concluo que, sendo a sorte (*fortuna*) inconstante e os homens obstinados em suas formas de agir, estes serão felizes pelo tempo em que com ela convergirem e desditosos quando dela divergirem. E considero o seguinte: que mais vale ser impetuoso que circunspecto, pois que a fortuna é mulher, e, para mantê-la submissa, é preciso batê-la e maltratá-la [*sic*]. Notamos que ela deixa-se melhor dominar por quem assim procede do que pelos que se portam com frialdade. Por esse motivo, como é mulher, ela é sempre amiga dos jovens: estes são menos judiciosos, mais aguerridos e mais audazes ao comandá-la.

XXVI

Exortação à tomada da Itália e à sua
libertação dos bárbaros[156]

*Exhortatio ad capessendam Italiam
in libertatemque a barbaris vindicandam*

Tendo, então, considerado todas as coisas acima expostas, e pensando comigo mesmo se hoje na Itália correriam tempos propícios à glória de um novo príncipe, e, ainda, se haveria matéria a ensejar que um homem prudente e virtuoso introduzisse um estilo que o dignificasse e que beneficiasse à coletividade dos homens desse país, pareceu-me que ora concorrem tantas coisas em favor de um príncipe novo que até nem sei que outra época ter-lhe-ia sido mais propícia. E se, como eu dizia, fora necessário, para que viesse à luz a grandeza (*virtù*) de Moisés, que o povo de Israel fosse escravizado no Egito; para que se conhecesse toda a coragem de Ciro, que os persas vissem-se oprimidos pelos medas; para que se soubesse do valor de Teseu, que os atenienses dispersos estivessem; assim, no presente, para que se revele a nobreza (*virtù*) de um espírito italiano, seria preciso que a Itália fosse reduzida às condições em que hoje se acha, que ela se encontrasse mais escravizada que os hebreus, mais subjugada que os persas, mais dissipada que os atenienses o foram um dia, sem chefe, sem ordem, batida, espoliada, dilacerada, invadida, e que houvesse de suportar toda sorte de desgraças.

E, embora um certo lume já tenha-se feito entrever em alguém[157] – e estivemos a ponto de considerá-lo como um enviado de Deus para a redenção do país –, *tamen* vimos, depois, de que modo, ao culminar das suas ações, foi ele rejeitado pela sorte (*fortuna*). Assim restando, como que sem vida, ela [a Itália] espera por aquele que sanará as suas feridas, que porá um fim às pilhagens da Lombardia, às exações do Reino [de Nápoles] e da Toscana, e que, finalmente, tratará das suas chagas, gangrenadas há já tanto tempo[158]. Vemos como ela roga a Deus que lhe mande alguém que a redima destas crueldades e insolências bárbaras. Vemo-la também inteiramente pronta e disposta a seguir uma bandeira, contanto que surja alguém que a empunhe.

Presentemente, não vemos a quem mais poderia ela apontar as suas esperanças senão à vossa ilustre casa, que, com a sua dita (*fortuna*) e o seu valor (*virtù*), amparada por Deus e pela Igreja, da qual sois príncipe, poderia assumir o comando desta redenção[159]. Interrogai, primeiro que tudo, os feitos e a vida daqueles que nomeamos e isso não vos será muito difícil. Conquanto tais homens hajam sido raros e admiráveis, eles foram homens [e nada mais]; nenhum deles contou com ocasião melhor que a presente; suas empresas não foram nem mais justas, nem mais fáceis que esta; nem Deus foi deles mais amigo que de vós. Aqui, é muito justo dizer-se: *justum enim est bellum quibus necessarium, et pia arma ubi nulla nisi in armis spes est*[160]. Ora, tudo apresenta-se de forma extremamente favorável, e onde há tão favoráveis disposições não pode haver grandes dificuldades, contanto que ela [a vossa casa] tome medidas inspiradas naqueles personagens que vos propus como modelos. Além disso, pode-se ver aqui coisas ímpares e extraordinárias dirigidas por Deus: o mar abriu-se; uma nuvem vos revelou o caminho; a água verteu da pedra; aqui choveu o maná[161], todas as coisas concorreram para a vossa grandeza. O que resta é vós que deveis fazer. Deus não deseja tudo realizar para não nos tolher do livre arbítrio e de parte da glória que nos toca.

E não é de espantar que nenhum dos italianos antes mencionados[162] tenha logrado fazer o que podemos esperar que faça a vossa ilustre casa, e que, de tantas revoluções italianas e de tantas manobras guerreiras, reste a impressão de haver sempre esmorecido a virtude militar no país. Isso advém da má qualidade das suas antigas instituições e da ausência de alguém que desde então houvesse sabido remodelá-las: nada, afinal, eleva tanto um homem que surge quanto o fazem as novas leis e as novas instituições por ele concebidas. Essas coisas, quando são bem fundadas e encerram grandeza, fazem-no admirado e reverenciado. Na Itália, de resto, não faltam motivos para a implantação de toda e qualquer nova forma[163]. Ora, é grande a valia (*virtù*) dos comandados quando esta não falta àqueles que os comandam. Observai, nos duelos e nos confrontos de poucos homens, o quanto os italianos são superiores em força, em destreza, em inteligência. Quando, porém, o embate é de exércitos, eles fazem uma triste figura. E tudo isso procede da fraqueza dos chefes, visto que aqueles que sabem[164] [comandar], e cada qual pretende sabê-lo, não são acatados, e que até aqui ninguém apareceu que fosse capaz de, mercê do seu valor (*virtù*) e da sua condição (*fortuna*), impor sua autoridade aos demais. Resulta disso que, em tanto tempo e em tantas guerras feitas nos últimos vinte anos, essas milícias, quando inteiramente italianas, sempre malograram, e a prova disso está, primeiro, em Taro; depois, em Alexandria, em Cápua, em Gênova, em Vailá, em Bolonha e em Mestri [165].

Portanto, querendo a vossa ilustre casa seguir o exemplo daqueles grandes homens que libertaram os seus países, será preciso, antes de mais nada, como verdadeiro substrato de toda mobilização, que ela muna-se de forças próprias, já que não podem haver nem mais leais, nem mais genuínos, nem melhores soldados. Ainda que cada qual seja bom, todos juntos tornam-se melhores quando se veem comandados pelo seu príncipe, sendo por este mantidos e honrados. Por conseguinte, será necessário preparar-se com essas forças para que possa, com o valor (*virtù*) dos itálicos, barrar a escalada estrangeira.

Apesar de as infantarias suíça e espanhola serem consideradas fortíssimas, uma e outra possuem os seus pontos fracos, razão pela qual um terceiro tipo de infantaria poderia não apenas enfrentá-las mas esperar vencê-las. Isso porque os espanhóis não podem sofrear uma cavalaria e os suíços devem temer os infantes quando estes, frente a eles num combate, mostram-se igualmente aferrados – donde as provas que tivemos (e, decerto, outras teremos) vendo os espanhóis sem poder refrear a cavalaria francesa e os suíços serem abatidos pela infantaria espanhola. Se bem que deste último caso não se haja feito uma experiência completa, *tamen* foi-nos dada uma amostra na jornada de Ravena, quando a infantaria espanhola afrontou-se com os batalhões alemães, que adotam a mesma formação dos suíços. Os espanhóis avançavam por entre as lanças com os seus corpos ágeis e valendo-se dos seus broquéis, protegidos sob os quais atacavam os alemães sem que estes pudessem arrostá-los: não houvesse a cavalaria inimiga acometido a tempo e todos os alemães se teriam finado. Assim, conhecendo-se os defeitos de uma e de outra dessas infantarias, pode-se organizar uma de forma nova, uma que resista aos cavalos e que não tema os infantes, o que advirá da qualidade dos seus soldados e da mudança das suas regras. Eis aqui daquelas coisas que, uma vez reordenadas, conferem prestígio e grandeza a um príncipe novo.

Não se deve, portanto, deixar passar esta ocasião: a Itália, tanto tempo passado, há de ver, enfim, a chegada do seu redentor. E faltam-me palavras para exprimir com que amor seria ele recebido em todas aquelas províncias que padeceram com o alúvio invasor dos estrangeiros; com que sede de vingança, com que inabalável fé, com que devoção, com que lágrimas. Que portas fechar-se-lhe-iam? Que povos negar-lhe-iam a obediência? Que inveja ser-lhe-ia oposta? Que italiano negar-lhe-ia o respeito? A cada um repugna esta dominação bárbara. Que a vossa ilustre casa assuma esta missão, com aquela coragem e com aquela esperança de que são tomadas as justas iniciativas, a fim de que, sob o seu estandarte, nossa Pátria seja engrandecida, e a fim de que, sob os seus auspícios, se comprove este dito do Petrarca:

Virtù contro a furore
prenderà l'arme; e fia el combatter corto,
ché l'antico valore
nell'italici cor non è ancor morto.[166]

[Bravura contra o furor
tomará armas; o destruirá num zás
que o antigo valor
no peito italiano inda não jaz.]

NOTAS

1. Esta tradução realizou-se com base na edição das *Opere* de *Niccolò Machiavelli*, publicada por Riccardo Ricciardi Editore (Milão-Nápoles) em 1954, conforme o original do século XVI (em *dialeto toscano*). Valeu-se, ainda, no que concerne às notas de caráter histórico, das impecáveis versões francesas editadas por Gallimard e Flammarion, ambas de 1980, algumas das quais aditadas às notas da edição italiana. Como matéria de curiosidade ao leitor, conservamos (há poucas coisas que podemos conservar quando lá se vai meio milênio!) a *divisão dos parágrafos* tal como a concebera Maquiavel, a despeito das suas eventuais *incorreções* (consideradas à luz dos cânones modernos da redação em italiano e em português).

2. O título não é do próprio Maquiavel, que havia intitulado o seu livro *De principatus* (em português: "Dos Principados"). Será cerca de cinco anos após a sua morte que os primeiros editores, Blado e Giunta, rebatizarão a obra.

3. Não se deve confundir aquele a quem *O Príncipe* é dedicado com Lourenço (*Lorenzo*), o *Magnífico*, morto em 1492. Trata-se aqui de Lourenço, Duque de Urbino em 1515, neto do *Magnífico* e nascido no ano da morte deste; filho de Piero e sobrinho do Papa Leão X. Possuía a insígnia de Capitão Geral da República, mas (a partir de 1513) governou Florença apenas de direito e não de fato.

4. A experiência das coisas modernas e a *lezione* (leitura) das antigas: eis as duas fontes do conhecimento, segundo Maquiavel.

5. Maquiavel emprega amiúde estas expressões latinas (*tamen, demum, etiam, praesertim, praeterea,* etc.) que eram, então, de uso corrente no estilo redacional das chancelarias.

Com efeito, o leitor não deverá imputar a Maquiavel qualquer afetação retórica, pelo contrário: essas locuções, extremamente corriqueiras à época, revelam, na verdade, a sua busca de uma expressão fácil e de compreensão imediata.

6. Discreta alusão à sua esperança de vir a ser reempregado na administração pública. Em sua carta de 10 de dezembro de 1513 a Francesco Vettori (um *oratore*, isto é, um Embaixador de Florença; neste caso, na Santa Sé), anuncia ao amigo haver escrito *O Príncipe* (*De principatibus*) (não ainda em sua versão definitiva), exprimindo-lhe o pungente sofrimento de ver-se excluído da atividade política.

7. Francesco Sforza (1401-1466), filho do *condottiere* Muzio Attendolo, o próprio Francesco sendo um dos mais destacados líderes populares e militares da época, e que, em fevereiro de 1450, derrotou a República Ambrosiana, tornando-se o senhor de Milão.

8. O Rei da Espanha é Fernando, *o Católico* (1452-1516) [diz-se também *Ferdinando* ou *Ferrando*], que, juntamente com o Rei da França, Luís XII, conquistou o Reino de Nápoles, em detrimento dos aragoneses (sua própria família), mormente de Frederico de Aragão. Após uma guerra vitoriosa contra o seu aliado em 1504, ele anexou Nápoles e a Sicília ao Reino da Espanha.

9. *Virtù* (que, por via de regra, o termo português *virtude* traduzirá) é um dos termos-chave do vocabulário maquiavelino. ***Virtù*** e ***fortuna*** são as duas forças antagonistas – mas também complementares – nas quais concentra-se o essencial da vida e da ação políticas: a primeira representa o princípio ativo, que galvaniza a energia humana; a segunda constitui os limites externos e intrínsecos que opõem-se a essa ação (estejam eles demarcados pela "sorte", pelo "acaso", ou pelas condições exteriores do arbítrio humano, vale dizer, pela

situação concreta em que vive o sujeito). Aditamos entre parênteses essas duas palavras essenciais do texto original sempre que as correspondentes diretas em português não satisfizeram semântica ou estilisticamente as necessidades da tradução. Ainda quanto a estas, note-se que as palavras ***principe*** e ***principato***, no original, ganham emprego em seus sentidos mais amplos, razão pela qual foram diversas vezes traduzidas por ***soberano***, ***senhor***, etc. (quando tratava-se de um rei, de um poderoso *condottiere*, etc.); ***governo***, ***poder***, ***trono***, etc. (no caso, por exemplo, de um império). Noutras passagens, particularmente as de cunho teórico, conservamos "príncipe" e "principado" em suas mais largas acepções.

10. Nos *Discursos Sobre a Primeira Década de Tito Lívio*, cuja escrita limitava-se, então, ao primeiro livro.

11. Duque de Ferrara: designação genérica de dois duques de Ferrara: Hércules d'Este (1433-1505), batido pelos italianos na "guerra do sal", rematada no Tratado de Bagnolo (7 de agosto de 1484), e Afonso I d'Este (1486-1534), que foi temporariamente privado de uma parte dos seus domínios por Júlio II, em razão de não haver aceito a paz firmada por este Papa com os venezianos em 1510, bem como a nova orientação antifrancesa da sua política (a "Santa Aliança"). Inflamado por sua própria tese, Maquiavel omite que ambos os duques eram homens de grande mérito, tanto político quanto militar.

12. Luís XII, Rei da França (1498-1515), aliando-se aos venezianos, assenhoreou-se do Ducado de Milão em 1499, derrotando Ludovico, *o Mouro*, que não lhe opôs uma séria resistência. No ano seguinte, porém, favorecido por uma rebelião milanesa contra as tropas francesas e pelo concurso dos mercenários suíços, este retomou (por poucos meses) o controle desse território.

13. Notemos aqui um certo desprezo na forma com que Maquiavel refere-se ao *Mouro*: Ludovico, embora fosse um bom administrador e um munífico soberano, não contava com a sua simpatia, sobretudo devido às suas escassas virtudes militares. Ademais, ele fora o responsável pela abertura das portas da Itália a Carlos VIII, quando esperava – em contando com um poderoso aliado – ver fortalecido o seu poder no país.

14. Em 1512, depois de Júlio II (leia-se: a "Santa Aliança") haver banido os franceses e de o chefe destes, Gaston de Foix (mesmo vitorioso em Ravena), haver sido abatido.

15. *Turco* ou *Grão-turco*, cognome de Maomé II. Este, ao subjugar o Império Bizantino em 1453, nele instalou-se, fixando sua capital em Constantinopla.

16. Conservamos (em algumas passagens) a formulação um tanto caótica de Maquiavel, que pouco prima pela disciplina estilística quando se trata de escrever um discurso impessoal ou uma carta na segunda pessoa (isto é, *em ambas as segundas pessoas*), dirigida ao príncipe. O leitor está atento ao fato de que, igualmente, os tempos verbais (que a própria tradução, por vezes, altera) não obedecem a uma estrita e coerente regularidade.

17. Quer-se aqui dizer que os Estados gregos da Liga Etólica, em luta contra Filipe V da Macedônia (aliado da Liga Aqueia) e preocupados com a insuficiência das suas forças, teriam apelado ao concurso dos romanos (primeira guerra macedônica, 215-205 a.C.). A versão de Maquiavel, porém, não é de todo exata. Os romanos, em realidade, combateram Filipe V em território grego, mas não em razão de um alegado chamado dos etólios (aos quais, efetivamente, uniram-se nessa ocasião) e sim por este ser um forte aliado de Aníbal.

18. Evidentemente, aqui, como em outras passagens, o termo "província" deve ser compreendido na sua antiga acepção romana: uma região conquistada no exterior da península itálica.

19. Passada a guerra macedônica à que fizemos menção, os etólios, descontentes com os romanos, dos quais não haviam obtido as esperadas vantagens, passaram a apoiar os projetos de Antíoco da Síria, o qual, não obstante, acabou por estes sendo derrotado (192-189 a.C.). Os romanos, que tiveram a Liga Aqueia e Filipe lutando ao seu lado, não cometeram o erro de franquear-lhes demasiado poder na Grécia.

20. Luís XII e Carlos VIII. Este, em 1494, lestamente conquistou o Reino de Nápoles para logo depois perdê-lo.

21. Veneza já possuía, na Lombardia, os territórios de Bérgamo e de Bréscia. Ora favorecendo a empresa de Luís XII (v. nota 12), ampliaria os seus domínios com as terras de Cremona e Ghiaradadda. É por isso que a expressão "metade do Estado lombardo" deve referir-se à totalidade dos domínios venezianos e não apenas a essas últimas conquistas. Desfaz-se, assim, a aparente contradição do final deste parágrafo.

22. Gênova aceitou, naquela ocasião, a proteção francesa, sob a qual permaneceu até quase a metade do século; os florentinos firmaram uma aliança com Luís XII; o Marquês de Mântua era Gianfrancesco Gonzaga (1484-1519), marido da famosa Isabella d'Este, amiga e protetora de Ariosto; o Duque de Ferrara era ainda Hércules I d'Este, pai de Afonso I e do Cardeal Hipólito; o senhor de Bolonha, Giovanni Bentivogli [ou Bentivoglio] (os Bentivogli cairão em 1506, quando Bolonha será mais estreitamente submetida pela Igreja, no pontificado de Júlio II); a senhora de Forli, Catarina Sforza (1463-1509), filha ilegítima de Galeazzo Maria Sforza,

mulher de grande energia que, com a morte de seu marido, Jerônimo [*Girolamo*] Riario, sozinha passou a governar Ímola e Forli (ela ainda se casará com Giovanni de Médicis); o senhor de Faenza era o jovem Astorre Manfredi, assassinado em 1502, em Roma, a mando de César Bórgia; o de Pesaro, Pandolfo Malatesta, também pelos Bórgia destituído, em 1503; o de Rímini e de Camerino, Júlio César Varano; o de Piombino, Giácomo d'Appiano, *condottiere* de ofício.

23. O Estado Pontifício e Veneza haviam-se tornado, nos últimos anos do *Quattrocento*, as duas maiores potências da Itália, e ambas achavam-se em expansão.

24. Alexandre VI – Bórgia (1431-1503) incumbira o seu filho César (o famoso Duque *Valentino*) de impor à Romanha a obediência à Igreja, na qualidade de gonfaloneiro desta. César Bórgia, porém, ambicionava o poder sobre um Estado que lhe fosse próprio.

25. Com efeito, uma vez conquistada a Romanha, o *Valentino* planejava estender o seu poder à Toscana.

26. Maquiavel, aqui, prisioneiro da sua tese referente à preponderante responsabilidade da Igreja nas diversas invasões francesas, afasta-se notoriamente da realidade histórica. Se Luís XII, em julho de 1502, retornou à Itália, fê-lo sobretudo pensando na conquista do Reino de Nápoles, acertada desde novembro de 1500 através do Tratado de Granada, o qual firmara com Fernando de Aragão contra o primo deste, Frederico.

27. Cf. nota 8.

28. Precisamente Fernando, *o Católico*, Rei da Espanha.

29. Alexandre VI havia negociado com Luís XII a bula papal que concedia a anulação do primeiro matrimônio

deste (com Joana, filha de Luís XI e irmã de Carlos VIII), legitimando então o seu casamento com Ana de Bretanha. Além disso, o Papa conferira (em 1498), atendendo a um pedido do Rei francês, o *chapéu* cardinalício ao principal conselheiro deste, o Arcebispo d'Amboise, da cidade de Ruão. Em troca, Luís XII outorgaria a César Bórgia o título de Duque de Valência – donde o nome Duque *Valentino* –, não sem antes prometer-lhe o apoio em suas futuras empresas na Itália. A este, de resto, seria permitido desposar a filha do Rei de Navarra.

30. Maquiavel teve a ocasião de conversar com o Cardeal de Ruão quando de sua primeira missão na Corte da França, em 1500.

31. Sejamos precisos: "lógica" não é um termo característico do vocabulário maquiavelino. A tradução, contudo, não opera, aqui, nenhuma "modernização", pois que a palavra precede em vários séculos à escrita desta obra. O leitor, que não deverá tirar ilações "filosóficas" do seu emprego, a acolherá corretamente em seu sentido mais vulgar e corriqueiro.

32. Os sucessores de Alexandre (os "diádocos") lutaram ferozmente pela divisão do Império, após a sua morte, em 323 a.C.

33. Em língua turca, "estandarte". Semelhantes às modernas províncias, os *sandjaks* duraram até 1921.

34. Maquiavel considerava o Reino da França (e o mostra claramente nos *Discursos*) quase como uma monarquia constitucional, atribuindo uma grande importância às autonomias feudoprovincial e citadina, bem como às assembleias parlamentares compostas pela magistratura.

35. Alusão às guerras civis que opunham César a Pompeu (este, aliás, chegara a contar com o apoio da Espanha, da Grécia e das províncias do Oriente) e também aos demais conflitos da época imperial, nos quais vários generais, chefes de província, engajavam-se na luta pela sucessão.

36. Pirro, primo de Alexandre (Rei do Epiro), que tomara uma parte da Sicília e da Itália meridional (280-276 a.C.), acabou sendo derrotado pelos romanos. O seu exemplo, na verdade, parece melhor adaptar-se à ilustração dos argumentos do capítulo seguinte, isto é, das dificuldades de manter-se sob sujeição cidades acostumadas a viver em regime de liberdade.

37. Esparta, após haver vencido Atenas na Guerra do Peloponeso, ali instaurou o seu governo, dito "dos trinta tiranos", os quais serão expulsos por Trasíbulo, em 403 a.C.. O mesmo método fora adotado pelos espartanos depois de terem ocupado Tebas, em 382, de onde foram igualmente expulsos em 379 por Pelópidas e por Epaminondas.

38. O Cartago foi destruído pelos romanos em 146 e Numância em 133 a.C., mas estes, de fato, jamais arrasaram Cápua.

39. Em 196 a.C., em Corinto, Cl. Flaminius havia proclamado a liberdade da Grécia, após o que, no entanto, etólios e aqueus passaram a rebelar-se com tamanha frequência que os romanos viram-se forçados a destruir Corinto e a fazer da Grécia uma província romana (146 a.C.).

40. Pisa, submetida por Florença em 1405, rebelou-se por ocasião da invasão de Carlos VIII, em 1494, havendo sido retomada somente depois de um colossal esforço, em 1509.

41. À exceção de Ciro (558-528 a.C.), os demais exemplos são legendários, o que, constatamo-lo, não fazia

uma grande diferença para Maquiavel, fosse porque, em harmonia com a cultura do seu tempo, ele propendia a conferir um valor histórico a tudo o quanto a Bíblia e os antigos referissem de Moisés, de Rômulo e de Teseu, fosse porque mesmo as lendas podiam assumir um significado didático particular.

42. Os grifos são da tradução. A correlação matéria-forma pertence, como sabemos, à terminologia aristotélica. A ação do homem *virtuoso* atualiza e torna efetiva a possibilidade inscrita na situação histórica que a *fortuna* oferece.

43. Segundo a lenda referida por Lívio.

44. Savonarola [*Ieronimo Savonerola*], nascido em Ferrara em 1452, foi um monge dominicano. Havendo-se tornado o prior de São Marcos, intentou, após a expulsão dos Médicis, reformar Florença, outorgando-lhe uma Constituição semiteocrática e semidemocrática. Excomungado por Alexandre VI e condenado pelo poder local, Savonarola foi queimado vivo diante do Palazzo Vecchio, em 1498.

45. *Ierone* ou *Gerone Siracusano*: tirano de Siracusa de 269 a 215 a.C.

46. "...que nada lhe faltava para reinar, a não ser o reino", frase anotada por Justino no seu compêndio das *Historiae Philippicae* de Pompeo Trogo. (*Discursos*, III, 3).

47. Alusão aos imperadores romanos levados ao poder pelos pretorianos ou pelas tropas das quais eram chefes nas províncias, após a morte dos seus predecessores.

48. As duas antigas e poderosas famílias romanas, Colonna e Orsini, dedicavam-se e primavam (especialmente os Colonna) na "profissão das armas".

49. Cf. nota 29.

50. Em 31 de dezembro de 1502, César Bórgia fez prisioneiros Vitellozzo Vitelli e Oliverotto da Fermo, os quais havia convidado para uma reconciliação, ordenando que ali mesmo, em Senigália, fossem eles estrangulados. Poucos dias mais tarde, ele logrou livrar-se de Paolo Orsini e do Duque de Gravina (da mesma família). Nesta ocasião, Maquiavel, na qualidade de legado da República Florentina, encontrava-se próximo de César, e pôde, assim, narrar com pormenores esses episódios (*Descrizione del modo tenuto dal duca Valentino nello ammazzare...*).

51. Remirro (ou *Remigio de Lorqua*), com Giovanni Olivieri, foi feito tenente-geral na Romanha em 1501.

52. Foi chamado "Rota" (em referência ao *Tribunale della Sacra Rota*) e instituído entre outubro e novembro de 1502.

53. O pretexto para essa execução foram as acusações de especulação com alimentos e de vínculo com os conjurados de Magione. Essa descrição da morte do tenente de Orco pode ser comparada àquela que Maquiavel fez no próprio dia do acontecido (26 de dezembro de 1502): "*Messer* Ramiro esta manhã foi encontrado partido ao meio em praça pública, onde ainda se acha. Não se sabe muito bem a razão da sua morte, mas sabe-se que a coisa satisfez ao príncipe, o qual mostrou que sabe elevar e derribar os homens a seu bel-prazer e segundo os méritos destes." (*Legazioni*, I, 503)

54. Na contenda que protagonizaram espanhóis e franceses pela partilha do Reino de Nápoles, estes últimos foram derrotados pelo "*gran capitán*" Gonzalo Fernandez de Córdoba em duas importantes batalhas (Seminara e Cerignola) de abril de 1503. Ora enviavam um exército suplementar para

libertar Gaeta, onde se deu a Batalha do Garigliano, batalha esta que pôs um termo definitivo à guerra.

55. A doença, mortal do pai e gravíssima do filho, foi diagnosticada como sendo o efeito de um veneno que os Bórgia haviam tramado administrar a alguns dos seus inimigos, veneno este que eles próprios, inadvertidamente, acabaram por ingerir.

56. Devemos recordar que, antes de Della Rovere (Júlio II), fora eleito ao trono pontifical – por influência de César Bórgia – o Cardeal Piccolomini (Pio III), que, no entanto, morreu sem praticamente haver podido assumi-lo, o que obrigou a convocação de um novo conclave. Na *Primeira Legação na Corte de Roma*, pode-se ler de que modo César foi enganado pelo Cardeal Della Rovere. Bórgia dispunha dos votos de onze cardeais espanhóis, mas nenhum deles desejava ascender ao Papado. Ademais, nem os espanhóis nem os italianos aceitavam a ideia de um Papa francês (na figura do Cardeal d'Amboise, o qual já mencionamos, uma espécie de Primeiro Ministro do Rei da França). Della Rovere, então, fez promessas miríficas à César, tais como a restituição da Romanha, do porto de Óstia (de posse de Gênova), a renovação do seu título de gonfaloneiro pontifical e a quitação das suas enormes dívidas para com o tesouro de São Pedro. César Bórgia destinou-lhe então todos os votos dos seus grandes eleitores sem saber que Júlio nem sequer cogitava cumprir suas promessas.

57. De acordo com o uso, Maquiavel designa certos cardeais pelo nome das paróquias romanas das quais eram, respectivamente, os titulares: são os casos de Della Rovere (*San Piero ad Víncula*) e Raffaelo Riario (*San Giorgio*).

58. Neste capítulo, Maquiavel oferece da atuação de César Bórgia uma imagem idealizada ou, mais precisamente, ele

a constitui metodicamente em paradigma (e é difícil avaliar o alcance real das suas reservas finais...). Em suas *Legações*, o autor parece assistir ao naufrágio de César com uma jubilação odienta... Os comentadores não sabem muito bem por que razões Maquiavel procura mitificar um homem que ele mesmo detestava. Quanto às conclusões deste capítulo, os historiadores modernos ressaltam que, além da presença na Itália de franceses e de espanhóis, o poder temporal do Papa tornara-se tão manifesto que nenhum dos pontífices (depois de Alexandre VI) poderia admitir o "principado novo" do Duque *Valentino*, feito a expensas da Igreja. Aqui, porém, como dizíamos, Maquiavel pretende transcender aos fatos – que conhecia perfeitamente – para fazer deste homem o exemplo acabado das possibilidades da astúcia e da inteligência humanas aplicadas, em seu mais alto grau, à ação política.

59. Nos *Discursos*.

60. Oliverotto Euffreducci (*Liverotto Firmano*) realizou as ações aqui narradas em dezembro de 1501. Ele foi morto, com os outros que já referimos, em Senigália, no último dia do ano seguinte.

61. Célebre *condottiere* que foi o grande capitão dos florentinos na guerra de Pisa.

62. Este raciocínio pressupõe a vigência de um estado de guerra.

63. Nábis: tirano de Esparta de 206 a 192 a.C.

64. *Messer(e)*: título honorífico outrora atribuído a juristas, a juízes e a altas personalidades.

65. Tibério e Caio Gracco, assassinados respectivamente em 133 e 121 a.C. no curso de tumultos que suscitaram

contra o patriciado romano, não foram, ao que parece, sustentados com suficiente energia pelo povo. Giorgio Scali, após o motim dos Ciompi, foi, com Tommaso Strozzi (importante liderança popular em Florença), preso e decapitado.

66. Na tantas vezes lembrada expedição de 1494.

67. A famosa "política do equilíbrio", não inventada (porquanto já era conhecida nas primeiras décadas do *Quattrocento*), mas brilhantemente aprimorada por Lourenço, *o Magnífico*.

68. Em 1482, uma liga foi formada entre Afonso – o Rei de Nápoles –, Lourenço, *o Magnífico* e Ludovico Sforza – Duque de Milão –, aos quais agregou-se num segundo momento o papa Sisto IV, para combater os venezianos que haviam atacado Hércules d'Este, Marquês de Ferrara. O final da guerra oficializou-se no já mencionado Tratado de Bagnolo, de 7 de agosto de 1484.

69. Francesco Della Rovere (Papa Pio IV, 1471-84), famoso por sua energia na repressão à prepotência feudal.

70. Isto é, condenando os ricos por delito de Estado e confiscando-lhes os bens.

71. Ele tomou Bolonha em 1506, dobrou o poderio veneziano com a Liga de Cambrai (em 1508) e, finalmente, expulsou Luís XII, Rei da França, criando contra ele a "Santa Aliança" (em 1511). Devemos, todavia, notar que, assim livrando-se dos franceses, conferiu um grande poder aos espanhóis na Itália.

72. É o caso dos famosos *condottieri* Próspero e Fabrício Colonna.

73. É evidente a intenção de mostrar-se simpático para com Leão X (Giovanni de Médicis, Papa entre 1513 e 1521; ou, por outra, o Pontífice ao tempo em que Maquiavel redigia estas linhas), a quem proporá, após a morte do Duque de Urbino (Lourenço de Médicis), a restauração da república em Florença.

74. Disse-se que, em 1494, bastara a Carlos VIII (que ingressava na Itália) expedir preliminarmente alguns oficiais com a missão de marcar *com giz* as casas que deveriam servir de alojamento às tropas. (A expressão é atribuída a Alexandre VI pelo cronista francês Commynes.)

75. Alusão a Savonarola, e especialmente a uma passagem da prédica de 1º de novembro de 1494, pronunciada quando Carlos VIII já se encontrava nas imediações de Florença: "São as tuas atrocidades, oh, Itália; oh, Roma; oh, Florença; é a tua impiedade, são as tuas fornicações, as tuas usuras, a tua crueldade, sim, são as tuas atrocidades que atraíram tais tribulações..."

76. Trata-se da famosa "revolta dos mercenários" que seguiu-se à Primeira Guerra Púnica (241-238 a.C.), contida energicamente por Amílcar Barca.

77. Filippo Maria Visconti morreu em 1447, daí sobrevindo, em Milão, a criação da República Ambrosiana, a qual teve como *condottiere* Francesco Sforza, algoz dos venezianos. Ele se tornará, mais tarde (em 3 de março de 1450), o senhor da cidade.

78. Muzio Attendolo (1369-1424), fundador da dinastia dos Sforza, que, de pequeno bandido na Romanha, se transformou em senhor de numerosas cidades. Ele e um outro *condottiere*, Braccio da Montone (Andrea Fortebracci, 1368-1424), fizeram-se árbitros do Reino de Nápoles durante a guerra que Joana II (1414-35) teve de travar pela sucessão ao trono.

79. John Hawkwood (em italiano, Giovanni Acuto), miliciano e aventureiro inglês que esteve a serviço dos Visconti e, depois (de 1377 até a sua morte, em 1394), de Florença. Na catedral desta cidade, encontra-se o seu suntuoso sepulcro, junto ao célebre afresco de Paolo Uccello, realizado em 1436.

80. Braccio da Montone, que citamos há pouco, senhor de Perúgia, promoveu contra Francesco Sforza uma verdadeira guerrilha. Ele chegou a exercer temporariamente o seu poder sobre a cidade de Roma, de onde acabou sendo expulso por Martinho V. Conta-se que Braccio resolveu-se a morrer de fome por sentir-se humilhado face à derrota que lhe impusera Sforza.

81. Paolo Vitelli, comandante das tropas florentinas no curso da guerra contra Pisa. Suspeito de traição, foi decapitado em 1495 (ou – as fontes divergem – 1499). Maquiavel parece ter desempenhado um importante papel na sua condenação.

82. Francesco Bussone (1390-1432), depois, Conde de Carmagnola – o protagonista da tragédia homônima de Manzone –, vencedor da batalha de Maclódio (21 de outubro de 1427), deixou de servir ao Duque de Milão para fazê-lo ao de Veneza. Em Veneza, porém, foi acusado de traição e justiçado.

83. Bartolomeu Colleoni (ou Colleone), senhor de Bérgamo (1400-1475), de quem Verrocchio erigiu, em Veneza, uma estátua equestre; Roberto da San Severino (1418 ou 1428 – 1484 ou 1487), comandante das tropas venezianas quando da guerra contra Ferrara; Niccolò Orsini, Conde de Pitigliano, derrotado em 1509 na batalha de Vailá [nome lombardo de *Vailate*].

84. V. nota 16.

85. Esta é a origem das *comunas* na Itália, um efeito das lutas que opunham a Igreja ao Império.

86. Alberigo da Barbiano (1344-1409), Conde de Cúnio (*Conio*), tornou-se condestável do Reino de Nápoles. A sua famosa companhia portava o nome de *San Giorgio*.

87. Expressão de dor, mas também de sarcasmo, que visa a atingir a jactância dos italianos (somente em parte justificável) quanto à bravura e à capacidade daqueles capitães.

88. Respectivamente, Carlos VIII, Luís XII, Fernando I, *o Católico* e as milícias suíças que, amiúde, estiveram no centro dos acontecimentos na Itália do Norte.

89. Depois de haver em vão atacado Ferrara (em 1510), Júlio II uniu-se a Fernando I, *o Católico* (na já referida "Santa Aliança"). Em 11 de abril de 1512, em Ravena, os espanhóis e o Papa foram vencidos pelos franceses, os quais, no entanto, com a morte do seu valoroso capitão, Gaston de Foix, acabaram expulsos de Milão por obra de uma inesperada irrupção (urdida pelo Papa e pelo Cardeal de Sião [*Sion*]) de vinte mil homens das tropas suíças.

90. Em 1500, os florentinos receberam de Luís XII oito mil homens gascões e suíços para a retomada de Pisa (Maquiavel teve contato com eles), mas essas tropas revelaram-se de tal modo indisciplinadas que se preferiu mandá-las de volta.

91. Referência à aliança firmada em 1346 por um pretendente ao trono, Cantacuzeno, com o Sultão turco Orcan contra os "paleólogos" [*sic*] (estes, com iguais pretensões ao Império). O Sultão enviou-lhe um auxílio de cem mil homens, comandados pelo seu filho, Solimão, o que tornou

possível o cerco de Bizâncio e a subsequente expansão dos turcos na Europa.

92. *Condottieri*: plural de *condottiere*.

93. Carlos VII (1422-61), que pôs fim à Guerra dos Cem Anos (valendo-se, inclusive, da participação de Joana d'Arc).

94. Citação, feita de memória, de uma frase do Tácito, a qual consta nos *Anais*, XIII, 19: *Nihil mortalium tam instabile ac fluxum est quam fama potentiae non sua nixae*; isto é, "nada no mundo é tão instável e frágil quanto a fama de um poder que não se firma em suas próprias forças".

95. E que são: o Duque *Valentino*, Hierão de Siracusa, Davi e Carlos VII da França.

96. Maquiavel expressa, aqui, de uma forma excessivamente categórica, o seu conceito de que o príncipe poderia (e, mesmo, deveria) confiar a administração civil aos magistrados por ele escolhidos, mas concentrar absolutamente em suas mãos todos os negócios da guerra.

97. Ou, mais exatamente: "o pleno domínio dessa arte pode ser de uma tal forma eficaz que..." (onde *virtù* = eficácia)

98. Filopêmines (253-183 a.C.) foi o comandante da Liga Aqueia na guerra em que intervieram Filipe V da Macedônia, os romanos e Antíoco. Plutarco dera-lhe o epíteto de "o último Grego".

99. [Nota-comentário da edição italiana] Aqui inicia-se a parte do tratado mais particularmente teórica, onde o estudo psicológico-moral dos sentimentos e dos traços

característicos do "príncipe-modelo" leva Maquiavel a revelar o fundamento especulativo da sua obra e a aprofundar uma das maiores descobertas filosóficas do Renascimento (ao lado da Ética e da Lógica): o valor teorético da Prática. Cônscio da novidade e da audácia das suas afirmações (e, talvez, de todo o seu alcance no campo intelectual), ele prevê as violentas reações que estas suscitarão.

100. É difícil precisar quem são esses "outros". Admite-se, geralmente, que Maquiavel opõe a sua forma de abordar a matéria política àquelas das tradições antigas (Platão, Aristóteles, Cícero, Xenofonte, Políbio), medieval (São Tomás de Aquino, Egídio Colonna, Dante, Santo Agostinho, Marsílio de Pádova) e, enfim, humanista (Poggio Bracciolini, Pontano) que haviam delineado, cada qual, uma certa imagem do príncipe ideal. Alguns historiadores pensam que Maquiavel faz alusão essencialmente à literatura humanista do *Quattrocento*.

101. Os meios dos quais se vale um príncipe não são, portanto, *justificados pelos fins* (que é a interpretação vulgar e inexata do pensamento maquiavelino): eles são *impostos*, tornados necessários pelo "modo" da experiência, pelo ambiente no interior do qual o homem deve agir.

102. Até o final do *Cinquecento*, o termo *avaro* conservou o significado que lhe advinha da sua comum raiz com *ávido*. Assim, encontramo-lo também no Dante (*Inf.*, VI, 74-5): "*Superbia, invidia e avarizia sono / le tre faville ch'ànno i cuori accesi*".

103. Luís XII.

104. Fernando, *o Católico*.

105. Florença, não intervindo na luta que opunha as duas principais famílias de Pistoia, os Panciatichi e os Can-

cellieri, permitiu que medrasse nesta cidade um clima de verdadeira anarquia (entre 1501 e 1502). Maquiavel, a esse respeito, escreveu o seu *Ragguaglio delle cosefatte dalla republica fiorentina per quietare le parti di Pistoia.*

106. "As árduas circunstâncias e o que há de novo no reino impõem-me tais diligências e a custódia de todas as fronteiras." (*Eneida*, I, 563-564)

107. Cipião, dito *o Africano*, antagonista direto de Aníbal. A mencionada rebelião eclodiu em 206 a.C.

108. Que nos seja permitida esta expressão, muito própria ao tempo presente, para "*e cervelli delli uomini*".

109. Os comentaristas encontraram muitas referências para este paralelo. O antecedente mais óbvio é, sem dúvida, esta passagem de Cícero: *Fraus quasi vulpeculae, vis leonis videtur, utrumque homine alienissimum* (*De officiis*, I, 13). A oposição entre a raposa e o lobo acha-se igualmente em Dante: *l'opere mie non furon leonine ma di volpe* (*Inferno*, XXVII, 74-75). L. Russo, porém, nota com propriedade que "a originalidade de Maquiavel não consiste, aqui, na imagem, e sim no princípio que ela entende exprimir".

110. Essa incapacidade de julgar "pelo tato" (*alle mani*) é, naturalmente, uma alusão à distância efetiva que separa o súdito (ou o cidadão) do poder (ou do príncipe).

111. Retomando o que dizia poucas linhas acima, Maquiavel refere-se ao apoio representado pelos positivos resultados das ações do príncipe.

112. Fernando, *o Católico*, Rei de Aragão, mais poderoso do que nunca ao tempo em que Maquiavel escrevia estas linhas.

113. Em 1445, Battista Canneschi, com a cumplicidade do Duque de Milão, Filippo Maria Visconti, assassinou Aníbal Bentivogli, tendo sido, por isso, massacrado pelo povo. Giovanni Bentivogli era ainda uma criança (em suas *Histórias Florentinas*, VI, 10, Maquiavel fala em "seis anos de idade"). Os bolonheses, então, recorreram a um certo Santi que vivia em Florença, filho bastardo de um primo de Aníbal (Hércules Bentivogli) e de uma jovem de Poppi. Giovanni, porém, em 1506, será privado da Senhoria de Bolonha por Júlio II.

114. Cf. nota 34.

115. Esses fóruns foram instituídos por Luís IX (São Luís).

116. Isto é, de Marco Aurélio, *o Filósofo* (121-180), a Júlio Vero Maximino, dito *o Trácio* (173-238).

117. Este é o uso consagrado na literatura: "Marco" é Marco Aurélio e "Antônio" é Marco Antônio.

118. Citamos Marco na precedente nota. Públio Élvio Pertinax foi morto após 87 dias de governo, em 193; Alexandre Severo (208-235) foi igualmente abatido por ocasião de uma revolta militar.

119. Por direito hereditário.

120. Cômodo Marco Aurélio, filho do *Filósofo*, reinou de 180 a 192; Sétimo Severo, de 193 a 211; Antonino Caracalla, de 211 a 217.

121. Marco Dídio Giuliano (Juliano), Imperador por 66 dias no ano 193.

122. No original: "Stiavonia", uma forma dialetal de "Schiavonia" (em português: Esclavônia – diz-se também Eslavônia): região ilírica que corresponde à ex-Iugoslávia.

123. O primeiro, derrotado por Sétimo Severo, foi morto entre fins de 193 e princípios de 194; o segundo, Décio Clódio Sétimo Albino, recebeu igual sorte em 197.

124. Vário Ávito Bassiano, dito *Heliogábalo*, famoso por seus hábitos depravados, morto aos 18 anos, em 222; *Macrino*, morto em 218. (Juliano é o já citado).

125. Trata-se do Sultão do Egito (o seu poder era garantido pelos mamelucos, assim como o do Grão-turco era-o pelos janízaros), cujo reino será anexado à Turquia em 1517.

126. Lourenço, *o Magnífico*, com a sua "política do equilíbrio" (cf. nota 67), foi também chamado "o fiel da balança".

127. Petrucci, senhor de Siena naqueles anos, foi um dos mais hábeis e empedernidos adversários do *Valentino*, que ameaçava sistematicamente a sua cidade.

128. Dizemos "mais ambiciosos projetos" pois o que divide (ou dualiza) o universo dos súditos é a disposição ao *risco pessoal* que demonstram no exercício das suas funções, conforme a maior ou a menor necessidade de provar ao príncipe a sua fidelidade.

129. Niccolò Vitelli, pai de Paolo (v. Capítulo VII), havendo tornado-se senhor da Città di Castello (com o favor dos Médicis), dela foi expulso por Sisto IV, em 1474. Ao retornar, em 1482 (ou 1484), sua primeira decisão foi, com efeito, a de destruir as duas fortalezas edificadas pelo Papa.

130. Guidobaldo [*Guido Ubaldo*], filho de Federico da Montefeltro, reconquistou Urbino em 1502. Morreu em 1508.

131. Os Bentivogli, expulsos por Júlio II em 1506, reouveram os seus domínios em 1511.

132. Catarina Sforza, anteriormente mencionada, dita *Madonna di Forli*.

133. Ações militares, administrativas, diplomáticas, etc...

134. Os grifos são da tradução. Aqui, como assinalávamos em nossa nota 9, a palavra "príncipe" (em *principe nuovo*) é empregada na sua mais larga acepção.

135. Vale recordar que Fernando, Rei de Aragão, havendo desposado Isabela de Castilha, era *principe nuovo* naquela parte da Espanha.

136. Fernando de Aragão assenhoreou-se do último dos domínios árabes, isto é, do Reino de Granada, em 1492, após dez anos de guerra. A cidade caiu na mão dos cristãos no dia 12 de janeiro.

137. Isto porque Fernando obteve subsídios da Igreja para a expedição de Granada, anunciada como uma cruzada contra os infiéis.

138. Os *marranos*, epíteto infamante (significava: pequenos porcos) atribuído aos mouros (muçulmanos) e aos judeus da Espanha (bem como aos seus descendentes) convertidos ao Cristianismo. Foram escorraçados do país nos anos 1501-1502, o que ainda outras vezes se repetirá, com graves prejuízos para a prosperidade do Reino...

139. Fernando ocupou as costas da África setentrional em sua expedição de 1509; dirigiu-se, então, à Itália, visando conquistar (como dissemos, ao lado de Luís XII) o Reino de Nápoles; finalmente, voltou-se uma segunda vez contra a França, intentando conquistar a Lombardia (1501-4 e 1511-12).

140. Barnabé [*Bernabò*] Visconti, senhor de Milão (de início, com os irmãos; depois, sozinho) até 1385, quando foi aprisionado e, logo a seguir, envenenado pelo neto Gian Galeazzo. Bernabò era reconhecido por sua crueldade e por suas excentricidades, mas também por sua energia e acuidade políticas. Deve-se a ele a primeira orientação unitária do governo dos Visconti na Lombardia.

141. Cf. nota 19. Os etólios, decepcionados com os romanos, não *chamaram* verdadeiramente Antíoco, mas se limitaram a facilitar as suas empresas.

142. Citação inexata de Tito Lívio (XXXV, 48). Este escrevera precisamente: *Nam, quod optimum esse dicunt, non interponi vos bello, nihil tam vanum, imo tam alienum rebus vestris est; quippe sine gratia, sine dignitate, praemium victoris eritis,* que traduzimos nestes termos: "Quanto a este partido, que dizem ser o melhor – o do vosso não entremetimento na guerra –, nada é mais ilusivo nem mais contrário aos vossos interesses, pois que, desprotegido e aviltado, sereis a presa do vencedor."

143. Em 1499, cf. nota 12.

144. Na guerra da "Santa Aliança", de 1510 a 1512.

145. Portanto, a política seria a arte de saber escolher "dos males o menor".

146. Maquiavel referia-se especialmente aos tributos extraordinários instituídos para o custeio das despesas com a guerra.

147. Antonio Giordani di Venafro, excelente jurisconsulto, hábil e leal Ministro de Petrucci (1459-1530).

148. Dom Luca Rinaldi, Embaixador do Imperador Maximiliano.

149. [Nota-comentário da edição italiana] Este é o primeiro dos três capítulos finais, nos quais Maquiavel, alterando progressivamente o tom do seu discurso, passa a expor com uma inflamada eloquência as suas esperanças numa ainda possível libertação italiana. A fim de justificá-la, ele, naturalmente, trata de esquecer o verdadeiro quadro das forças políticas da Itália e da Europa (que, no entanto, bem conhecia) e de exagerar, por outro lado, como causas primeiras da decadência, os vícios e os defeitos dos príncipes de então, os quais, a julgar-se por recentes [ed. de 1954 – *n. do t.*] análises históricas, mas também pelas observações de Guicciardini em sua *Storia d'Italia*, não foram de fato tão ineptos nem tão culpados por ela quanto os descreve Maquiavel.

150. A referência aos "bons aliados" consta apenas das edições mais antigas...

151. *Senhores*, no sentido evidente de "detentores do poder".

152. Frederico de Aragão, Rei de Nápoles, e Ludovico, *o Mouro* (cf. Cap. III). Também "outros", nesta época, viram-se desapossados dos seus Estados (como, por exemplo, os senhores da Romanha), mas a pequena extensão dos seus domínios empresta às palavras de Maquiavel o efeito de uma amplificação retórica.

153. Filipe V, já citado, derrotado por Tito Quinto Flaminino em 197 a.C.

154. Trata-se da campanha, já mencionada, de 1506. Os venezianos ainda possuíam a costa da Puglia (que haviam ocupado e que controlavam, graças à desordem do Reino de Nápoles, desde 1494), de cuja posse o Rei da Espanha (*aqueles*) pretendia privá-los.

155. De fato, Júlio II, não obstante ainda jovem haja sido entronizado, não teve um longo pontificado (este durou de 1503 a 1513).

156. Recordemos que *O Príncipe* é dirigido a Lourenço de Médicis, que governa Florença sob a égide do chefe da família, Giovanni de Médicis, soberano dos Estados da Igreja desde que se tornara o Papa Leão X.

157. Este "alguém" é uma alusão a César Bórgia.

158. Lombardia, Toscana, Reino de Nápoles: é curioso notar-se aqui o modo como Maquiavel imagina, em sua extensão geográfica, esta Itália cuja unidade tanto deseja. Quanto ao seu formato político, é provável que ele o concebesse – se é que o concebia – a partir do modelo dos grandes Estados Nacionais, então em plena expansão: França e Espanha, particularmente. Diga-se ainda que, comparada às demais regiões citadas, a Toscana, naqueles anos, enfrentou poucas dificuldades materiais: o amor ao solo pátrio fez Maquiavel incluí-la nesse rol...

159. Havia pouco tempo que Leão X de Médicis deixara o seu pontificado (1513), mas ninguém melhor que Maquiavel sabia como fatalmente a Igreja deveria opor-se a qualquer tentativa de unificação da Itália.

160. O texto preciso de Tito Lívio é: *Justum est bellum, quibus necessarium et pia arma quibus nulla nisi in armis relinquitur spes* (IX, 1). Ou: "Justa é a guerra, para quem se faz ela necessária; santas são as armas, para quem somente nelas pode esperar".

161. Referência evidente à partida dos hebreus do Egito e à travessia do deserto (*Êxodo*, 13, 14, 16, 17). Maquiavel traça um paralelo entre a sorte gloriosa da casa dos Médicis e os prodigiosos fenômenos narrados pela Bíblia acerca da viagem dos hebreus rumo à terra prometida.

162. Alusão a Francesco Sforza e a César Bórgia, de longe os mais frequentemente citados e apresentados como exemplo nesta obra.

163. Isto é, novas *formas* de ordenamento institucional.

164. Teria sido mais exato dizer: *"saberiam"*.

165. Em Fornovo-sul-Taro (1495), Carlos VIII, em retirada, abriu um caminho contra o exército dos príncipes italianos e passou quase incólume; Alexandria (em 1499), Cápua (em 1501), Gênova (em 1507) e Bolonha (em 1511) abriram as portas aos franceses sem opor-lhes uma suficiente resistência; Vailá é a famosa batalha de três nomes (Vailate, Ghiaradadda ou Agnadello) várias vezes mencionada, na qual os venezianos foram derrotados pelos franceses (em 1509); enfim, Mestre (em 1513) foi ocupada com imensa facilidade pelo capitão espanhol Raimundo de Córdoba, que, de lá, disparou alguns canhonaços contra Veneza.

166. *Italia Mia*, versos 93-96.

CRONOLOGIA

1469 (3 de maio): Nascimento, em Florença, de Nicolau Maquiavel, filho de Bernardo Maquiavel, legislador.

(outubro): Fernando, herdeiro da dinastia Aragão, casa-se com Isabela, irmã e sucessora do Rei de Castilha.

(3 de dezembro): Morte de Piero de Médicis, filho de Cosme. Os seus filhos Lourenço (vinte anos) e Juliano (dezesseis anos) sucedem-no.

1474 (dezembro): Isabela torna-se Rainha de Castilha.

1476 (6 de maio): Nicolau começa a frequentar a escola: ele estuda o "Donatello", isto é, a edição condensada da gramática de Donato, autor latino do século IV.

1478 (26 de abril): Conspiração dos Pazzi. Juliano de Médicis é assassinado na catedral onde se celebrava a missa pascal. Lourenço escapa dos conjurados e torna-se senhor absoluto de Florença.

1479 (janeiro): Fernando é proclamado Rei de Aragão.

1482 Savonarola, monge franciscano – nascido em Ferrara –, chega ao Mosteiro de São Marcos (do qual se tornará o prior em 1491) e inicia as suas pregações em Florença.

1483 (30 de agosto): Morte de Luís XI. Carlos VIII (treze anos) sucede-lhe.

1491 (6 de dezembro): Casam-se Carlos VIII e Ana de Bretanha (quatorze anos). A unificação francesa realiza-se de fato e de direito.

1492 (2 de janeiro): O mesmo se pode dizer quanto à unificação espanhola, após a tomada de Granada pelos Reis católicos.

(8 de abril): Morte de Lourenço, *o Magnífico* (quarenta e três anos). Sucede-lhe o seu filho Piero (vinte e um anos).

(11 de agosto): Rodrigo Borja, dito Bórgia, é feito Papa e adota o nome de Alexandre VI.

(26 de agosto): O Papa nomeia o seu filho César (dezesseis anos) Arcebispo de Valência (Inocêncio VIII fizera-o Bispo de Pamplona) e, logo depois, Cardeal.

1494 (2 de setembro): O exército de Carlos VIII atravessa os Alpes, rumo à conquista do Reino de Nápoles.

(9 de novembro): Os Médicis são expulsos de Florença, onde impõe-se a autoridade de Savonarola. Carlos VIII entra em Pisa, cujos habitantes clamam pela libertação da dominação florentina (instaurada em 1405).

1495 Carlos VIII deixa o Reino de Nápoles e volta para a França.

1496 Florença tenta em vão reconquistar Pisa.

1497 (12 de maio): Savonarola é excomungado por Alexandre VI.

1498 (fevereiro): Maquiavel é nomeado segundo secretário da Senhoria.

(8 de abril): Morte de Carlos VIII. Sobe ao trono da França Luís XII. Este pede ao Papa a anulação do seu casamento com Joana (filha de Luís XI) a fim de esposar Ana (viúva do seu predecessor) e de conservar a Bretanha.

(23 de maio): Em Florença, execução de Savonarola.

(28 de maio): Maquiavel é indicado para a chefia da segunda chancelaria.

(19 de junho): O Grande Conselho aprova a indicação.

(14 de julho): Maquiavel é também nomeado secretário dos "Dez" (importante magistratura do Estado florentino).

(13 de agosto): César Bórgia é feito Duque de Valência por Luís XII – e renuncia às suas funções eclesiásticas.

(17 de dezembro): Anulação do casamento de Luís XII.

1499 (24 de março): Primeira missão de Maquiavel (dar vazão a um litígio de ordem econômica com um *condottiere*).

(maio): Maquiavel escreve os *Discursos sobre os negócios de Pisa*.

(16-25 de julho): Missão de Maquiavel em Forli (Florença deseja contar com o serviço do filho de Catarina Sforza, senhora de Forli).

(agosto-outubro): O exército de Luís XII invade a Itália. Conquista de Milão.

(28 de setembro-1º de outubro): Suspeito de haver cometido traição quando do cerco de Pisa, o *condottiere* Paolo Vitelli é levado a Florença e executado. O seu irmão, Vitellozzo, evade-se.

(novembro-dezembro): Com o apoio de tropas cedidas por Luís XII, César Bórgia toma Ímola e Forli.

1500 (5 de fevereiro): Ludovico Sforza, *o Mouro*, recupera o controle de Milão.

(10 de abril): Ludovico é capturado. Morrerá na prisão em 1508.

(junho-julho): Maquiavel no cerco de Pisa. Embaraços quanto à remuneração dos mercenários cedidos pelo Rei da França. Um comissário florentino é detido pelos suíços.

(7 de agosto-final de dezembro): Maquiavel na corte da França defende a causa florentina no caso dos mercenários e procura acertar regras para a questão do pagamento.

(outubro): Com tropas francesas, César Bórgia conquista Pesaro e Rímini.

(11 de novembro): Tratado secreto firmado entre Fernando de Aragão e Luís XII quanto à partilha do Reino de Nápoles.

1501 (2 de fevereiro): Em Pistoia, cidade submetida à dominação de Florença, Maquiavel tenta conciliar duas facções rivais. Ele retornará em julho, em outubro e no ano seguinte.

(25 de abril): César Bórgia conquista Faenza. Seu pai o faz Duque de Romanha. César alicia Baglioni, Vitellozzo Vitelli e Paolo Orsini. Luís XII proíbe-lhe de atacar Bolonha.

(maio): Florença não atende às instâncias de Bórgia para o restabelecimento de Piero de Médicis.

(8 de julho): Os franceses (com César Bórgia) adentram o Reino de Nápoles.

(18 de agosto): Maquiavel é enviado a Siena para desfazer as intrigas de César com Pandolfo Petrucci, senhor daquelas terras.

(3 de setembro): As tropas de César Bórgia conquistam Piombino.

(?): Maquiavel esposa Marietta Corsini.

1502 (4 de junho): Vitellozzo Vitelli suscita uma revolta em Arezzo (domínio florentino) e, pouco depois, em Valdichiana. Florença solicita o auxílio da França.

(junho): Início das hostilidades entre franceses e espanhóis no Reino de Nápoles (que até então dividiam entre si).

(21 de junho): César apodera-se de Urbino.

(22 de junho): O Bispo Francesco Soderini e Maquiavel são enviados a Urbino (chegam no dia 24). Dia 26, urgente retorno de Maquiavel a Florença com o anúncio das ameaças de Bórgia.

(julho): As tropas francesas liberam Arezzo.

(15-19 de agosto): Maquiavel exige ao reticente comando francês a devolução das cidades rebeladas. Faz-se pessoalmente presente nos dias 11 e 17 de setembro.

(26 de agosto): Reforma do governo florentino. Os gonfaloneiros exerciam por dois meses um mandato que doravante será vitalício.

(22 de setembro): Piero Soderini nomeado gonfaloneiro vitalício. Imediatamente, os *condottieri* de César Bórgia passam a conspirar contra ele.

(5 de outubro): A pedido de César, Florença envia-lhe um emissário: este será Maquiavel, que acompanhará Bórgia até 20 de janeiro de 1503.

(9 de outubro): Dieta de Magione (perto de Perúgia) que reúne os *condottieri* conjurados: os Orsini, Vitellozzo Vitelli, Oliverotto da Fermo, Bentivogli, Baglioni e alguns outros. Eles sublevam o Ducado de Urbino.

(17 de outubro): As tropas fiéis a César são desbaratadas pelas dos Orsini. Bórgia pede socorro à França.

(28 de outubro): Temerosos, os *condottieri* estabelecem um acordo com César.

(8 de dezembro): Urbino é devolvido a César Bórgia.

(26 de dezembro): Os *condottieri* conquistam Senigália.

(31 de dezembro): César entra em Senigália. Nesta mesma noite, ardilosamente, ele detém Vitellozzo e

Oliverotto, e ordena o enforcamento de ambos. Também captura dois dos Orsini, os quais serão executados em 18 de janeiro.

1503 (janeiro): César apodera-se da Città di Castello, de Perúgia e de Siena.

(?): Maquiavel escreve: *Descrição da forma como procedeu o Duque Valentino para matar Vitellozzo Vitelli, Oliverotto da Fermo, o senhor Paolo e o Duque de Gravina Orsini* (publicado em 1532, depois de *O Príncipe*).

(29 de março): Luís XII restabelece Petrucci em Siena.

(26 de abril): Maquiavel em Siena para uma negociação.

(julho?): Ele escreve *Do modo de tratar a gente rebelada de Valdichiana*.

(18 de agosto): Morte de Alexandre VI.

(22 de setembro): Piccolomini é eleito Papa (Pio III). Morrerá em 18 de outubro.

(23 de outubro-18 de dezembro): Maquiavel em Roma. Após acordo com o Rei da França, ele discute um contrato com o *condottiere* Baglioni. Últimos encontros com César Bórgia.

(1º de novembro): Juliano Della Rovere (Júlio II) é feito Papa com o apoio de César Bórgia, a quem garante a continuação como gonfaloneiro da Igreja. Após a sua eleição, ele obriga César a restituir os seus territórios à Igreja.

(8 de novembro): Nascimento de Bernardo, o primogênito de Maquiavel (após a morte precoce de sua filha).

(28 de dezembro): Batalha de Garigliano. Vencidas por Gonzalo de Córdoba, as tropas francesas abando-

nam o Reino de Nápoles. Piero de Médicis afoga-se no Garigliano.

1504 (22 de janeiro): Preocupada com a partida das tropas francesas, a República envia Maquiavel à corte da França.

(11 de fevereiro): Trégua entre a França e a Espanha. Florença é aliada da França.

(março): Maquiavel volta a Florença.

(2 de abril): Missão em Piombino: a República quer certificar-se da lealdade de Iacopo d'Appiano.

(outubro): Maquiavel escreve a primeira *Decenal*, narração em tercetos da história da Itália desde 1494.

(2 de outubro): Nasce Ludovico, o seu segundo filho.

1505 [Após haver lutado ao lado dos espanhóis, o *condottiere* Bartolomeo d'Alviano planeja atacar Florença por sua própria conta. Os florentinos arregimentam forças.]

(9 de abril): Compete a Maquiavel convencer Baglioni a voltar a atuar a serviço de Florença: a missão malogra.

(4 de maio): *Idem*, com relação ao Marquês de Mântua.

(16-24 de julho): Maquiavel é enviado a Siena para sondar as intenções de Petrucci, que se propõe a colaborar com Florença. O acordo, porém, não acontece.

(17 de agosto): Bentivogli derrota as forças de Bartolomeo d'Alviano.

(8-12 de setembro): Animados, Bentivogli e os florentinos intentam a tomada de Pisa: fracasso.

[Ao final do ano, farto do comportamento das milícias mercenárias, Maquiavel passa a recrutar soldados nos domínios de Florença.]

1506 (janeiro-fevereiro): Maquiavel leva adiante o recrutamento de uma infantaria.

(15 de fevereiro): Primeira revista da infantaria. Publicação da primeira *Decenal*. Vários escritos de Maquiavel sobre a organização da milícia.

(25 de agosto): Maquiavel incumbido de parlamentar com Júlio II, que pede o concurso de Florença na retomada da Romanha, então dominada pelos senhores locais e pelos venezianos.

(26 de agosto): Maquiavel reúne-se ao Papa a caminho da Romanha, acompanhando-o em sua expedição.

(13 de setembro): Júlio II entra em Perúgia (até ali controlada por Baglioni) e acha-se no meio das tropas do seu adversário (as suas próprias tropas guardavam posição). O que vai acontecer? Nada! "Graças a sua [de Baglioni] boa índole e a sua humanidade", dirá ironicamente Maquiavel. Entenda-se: Baglioni, covarde, parricida e incestuoso, era conhecido pela sua absoluta falta de escrúpulos.

(outubro): Maquiavel com o Papa em Ímola.

(11 de novembro): O Papa ingressa em Bolonha, de onde Bentivogli fora expulso pelas tropas francesas.

(6 de dezembro): Criação de uma nova magistratura, os "Nove da Ordem e da Milícia", em Decreto redigido por Maquiavel.

1507 (12 de janeiro): Maquiavel é indicado para o cargo de Chanceler dos "Nove da Milícia" (conservando as suas outras funções).

(junho): O Imperador Maximiliano, que prepara uma expedição à Itália, demanda dinheiro aos florentinos. Maquiavel é designado como negociador, mas uma forte oposição ao seu nome obriga Soderini a expedir Vettori.

(dezembro): Soderini consegue fazer com que a Vettori agregue-se Maquiavel. Este irá a Bolzano, Trento e Innsbruck.

1508 (16 de junho): Maquiavel de retorno a Florença.

(17 de junho): Ele escreve o *Relato Sobre os Fatos da Alemanha*.

(outubro-dezembro): Maquiavel retoma a sua campanha de recrutamento.

(10 de dezembro): Liga de Cambrai (o Imperador, a França e a Espanha) contra os venezianos.

1509 (fevereiro): Maquiavel presente no cerco de Pisa.

(13 de março): Luís XII e Fernando negociam com Florença o direito a uma tomada de Pisa.

(25 de março): Júlio II junta-se à Liga de Cambrai.

(14 de maio): Batalha de Vailá (ou de Agnadello). Os venezianos perdem a maior parte dos seus domínios em terra firme.

(2 de junho): Capitulação de Pisa. Dia 8, Maquiavel entra em Pisa com a sua infantaria.

(10 de junho): Maquiavel parte rumo a Mântua a fim de efetuar um segundo pagamento a Maximiliano e de observar as operações militares.

1510 (2 de janeiro): Regresso a Florença.

(24 de fevereiro): Júlio II assina a paz com os venezianos.

(14 de março): Os suíços aliam-se ao Papa.

(25 de maio-3 de junho): Campanha de recrutamento sob a direção de Maquiavel.

(24 de junho): Terceira missão francesa de Maquiavel. Florença teme o Papa e deseja conservar a aliança com a França.

(19 de outubro): Maquiavel de volta a Florença. Pouco depois, ele escreve o *Retrato das Coisas da França*.

(7 de novembro): Os "Dez" encarregam Maquiavel de recrutar a cavalaria (o que ele fará neste mesmo mês e no seguinte).

(2 de dezembro): Maquiavel em Siena para denunciar a trégua feita com Petrucci.

1511 (janeiro): Ele inspeciona as fortalezas de Pisa e de Arezzo.

(março): Recrutamento de cem cavaleiros em Valdichiana.

(1º de março): O clero da França pede a convocação de um Concílio Geral contra Júlio II (há uma guerra não declarada entre o Rei e o Papa).

(1º de maio): Maquiavel em Siena para a assinatura de um novo tratado com Petrucci.

(5 de maio): Maquiavel em missão na corte de Grimaldi, senhor de Mônaco (homem afeito a piratarias).

(maio): O Concílio é marcado para 1º de setembro. Derrotadas as milícias do Papa, Florença consente que aquele instale-se em Pisa.

(18 de julho): Júlio II convoca um Concílio em Latrão para o dia 19 de abril de 1512; ameaça Florença com um Interdito e com a confiscação dos bens dos seus mercadores.

(19 de agosto): Nascimento de Guido, o terceiro filho de Maquiavel.

(24 de agosto – 7 de setembro): Maquiavel recruta cavalarianos em Valdarno, Valdichiana e Casentino.

(10 de setembro): Maquiavel, em missão, parlamenta com quatro Cardeais, os quais aceitam retardar a sua chegada em Pisa.

(22 de setembro): Ele encontra-se na corte da França para solicitar a esta que adie o Concílio.

(4 de outubro): Júlio II alia-se a Fernando de Aragão e a Veneza: trata-se da "Santa Aliança", dirigida (tacitamente) contra a França.

(1º de novembro): Os Cardeais cismáticos em Pisa.

(2 de novembro): Maquiavel volta da França.

(3 de novembro): Ele vai a Pisa para obter uma transferência do Concílio.

(5-12 de novembro): O Concílio tem três sessões em Pisa (se esvaziará, mais tarde, em Milão).

(22 de novembro): O horizonte é sombrio (em caso de guerra, Florença situa-se em posição avançada em relação aos seus aliados franceses) e Maquiavel redige o seu testamento.

1512 (19 de fevereiro): Revista da cavalaria em Florença.

(11 de abril): Batalha de Ravena. Morto Gaston de Foix. Vitorioso, mas com a sua retaguarda ameaçada pelos suíços, o exército francês retira-se.

(maio): Maquiavel dirige os preparativos militares em Pisa.

(julho-agosto): Ele recruta infantes em Mugello e intensifica esses preparativos.

(24 de agosto): Os "Dez" chamam Maquiavel em Florença (de onde aproximam-se os espanhóis).

(28 de agosto): Com três mil homens para a sua defesa, Prato não oferece grande resistência aos espanhóis, que pilham, violam e matam.

(31 de agosto): Soderini resigna-se a abandonar Florença.

(1º de setembro): Juliano de Médicis volta (sem um caráter oficial) a Florença.

(6 de setembro): O mandato do gonfaloneiro é reduzido a quatorze meses.

(14 de setembro): O Cardeal Giovanni de Médicis, legado do Papa, chega a Florença.

(16 de setembro): Os partidários dos Médicis invadem o palácio da Senhoria. O mandato do gonfaloneiro passa a ser de apenas dois meses. A Constituição republicana é abolida.

(19 de setembro): A milícia de Maquiavel é suprimida.

(7 de novembro): A nova Senhoria cassa Maquiavel e exclui-o de todas as suas funções.

1513 (19 de fevereiro): Suspeito de participação em um complô, Maquiavel é preso e submetido a torturas.

(21 de fevereiro): Morte de Júlio II.

(11 de março): Giovanni de Médicis é sagrado Papa (Leão X).

(13 de março): Maquiavel é libertado. Refugia-se em sua casa de campo, em Sant'Andrea-in-Percussina. Ele dá início a uma correspondência com o seu amigo Vettori, Embaixador de Florença na corte do Papa: primeiramente motivadas pela obtenção de um certo favor, estas cartas ensejarão profícuas discussões políticas (Maquiavel visa mesmo aconselhar o Papa indiretamente).

[Ele começa a redigir os *Discursos Sobre a Primeira Década de Tito Lívio*, interrompendo-se mais tarde para escrever *O Príncipe*.]

(23 de setembro): Primo do Papa, Giovanni de Médicis é feito Cardeal.

(10 de dezembro): Maquiavel escreve a Vettori, anunciando-lhe que acaba de escrever um opúsculo intitulado *De Principatibus* (que, mais adiante, será

conhecido como *O Príncipe*). Hesita ainda quanto a apresentá-lo a Juliano para assim obter a sua reintegração na administração florentina.

1514 [Continuação da correspondência com Vettori.]

(19 de maio): Lei que dispõe sobre a nova infantaria da milícia nacional.

(4 de setembro): Nascimento de Piero, quarto filho de Maquiavel.

1515 (1º de janeiro): Morte de Luís XII. Sobe ao trono Francisco I. Maquiavel é consultado sobre a organização da milícia (que será extinta poucos anos mais tarde). Juliano, aliás, planeja contar com o trabalho de Maquiavel, mas recebe o veto formal do Papa.

(13 de setembro): Batalha de Marignan.

1516 (23 de janeiro): Morre Fernando de Aragão. Sucede-o Carlos V (*Charles Quint*).

(17 de março): Morte de Juliano de Médicis. O seu sobrinho (e sobrinho do Papa), Lourenço, torna-se "Capitão Geral" de Florença.

(maio): Lourenço apodera-se do Ducado de Urbino. Maquiavel dedica-lhe *O Príncipe*.

(8 de outubro): O Papa faz Lourenço Duque de Urbino.

1517 Maquiavel frequenta os jardins Oricellari, propriedade de Cósimo Rucellai. Diante de um grupo selecionado de pessoas, ele lê capítulos dos seus *Discursos Sobre a Primeira Década de Tito Lívio*, texto que dedicará a Rucellai e a Buondelmonti.

1518 Maquiavel escreve *A Mandrágora*.

(março-abril): Missão em Gênova custeada pelos mercadores florentinos.

1519 (12 de janeiro): Morte do Imperador Maximiliano.

(13 de abril): Nascimento de Catarina de Médicis, futura Rainha de França.

(28 de abril): Morre a mãe desta, Madeleine de la Tour d'Auvergne, esposa de Lourenço de Médicis.

(4 de maio): Morte de Lourenço de Médicis. O Cardeal Júlio de Médicis assume o governo de Florença.

(17 de junho): Carlos V é eleito Imperador da Alemanha. Maquiavel começa a escrever *A Arte da Guerra*.

1520 (julho-setembro): Maquiavel advoga os interesses dos mercadores florentinos em Luca. Ele escreve *A Vida de Castruccio Castracani* (homem nascido nesta cidade no século XIV). A pedido do Cardeal, escreve também os *Discursos Sobre a Reforma do Governo de Florença*.

(8 de novembro): O Cardeal encomenda a Maquiavel uma *História de Florença* que o ocupará ao longo de cinco anos.

1521 (maio): Maquiavel vai a Carpi para solucionar um problema concernente aos franciscanos de Florença. Correspondência com Guicciardini.

(8 de maio): Carlos V alia-se a Leão X. Manobras na região milanesa.

(16 de agosto): Publicação de *A Arte da Guerra*.

(1º de dezembro): Morre Leão X.

1522 (9 de janeiro): Eleição do Papa Adriano VI, nascido em Utrecht.

(maio-junho): Descoberto um complô contra Júlio de Médicis.

1523 As tropas francesas perdem Gênova e uma grande parte do território milanês.

(14 de setembro): Morte de Adriano VI.

(18 de setembro): Eleito Papa, Júlio de Médicis adota o nome de Clemente VII.

1525 (24 de fevereiro): Batalha de Pávia. Francisco I prisioneiro de Carlos V.

(1º de abril): O Papa firma com o Vice-rei de Nápoles um acordo que Carlos V ratificará. Fala-se de enviar a Madri o Cardeal Salviati acompanhado de Maquiavel. O Papa exclui este último.

(maio): Maquiavel em Roma. Ele apresenta a Clemente VI a *História de Florença*. Ao Papa, receoso de ficar à mercê de Carlos V, ele propõe a criação de um exército nacional.

(junho): Clemente VII expede-o a Faenza para que discuta esse projeto com Guicciardini, chefe político da Romanha. Guicciardini escreve ao Papa, indica as suas objeções e aguarda a sua decisão.

(26 de julho): Cansado de esperar a resposta do Papa irresoluto, Maquiavel regressa a Florença.

(19 de agosto-16 de setembro): Maquiavel defende em Veneza os interesses dos mercadores florentinos.

1526 (14 de janeiro): Tratado de Madri: Carlos V restitui a liberdade a Francisco I, o qual obriga-se (entre outras coisas) a ceder-lhe a Borgonha.

(15 de março): Maquiavel escreve a Guicciardini (intermediário em sua mensagem ao Papa) aconselhando que se dê a Giovanni de Médicis, jovem e valoroso capitão, os recursos para que ele forme uma grande milícia. Recusa do Papa.

(18 de março): Libertado, Francisco I retorna à França (e conserva a Borgonha).

(abril): Maquiavel convence o Papa a preparar a defesa das fortificações de Florença.

(9 de maio): Criação de uma Comissão de Fortificações, da qual Maquiavel é o chanceler.

(17 de maio): Tratado de Cognac firmado entre Francisco I, o Papa, Florença e os venezianos.

(junho ou julho): Maquiavel encontra-se com as tropas da Liga e com Guicciardini (o comandante destas) na Lombardia.

(setembro): Em Roma, Clemente VII assina uma trégua com os Colonna e com os espanhóis de Nápoles. Ele desobriga as tropas que mantinha até então no local. Em 19 de setembro, os espanhóis atacam-no, pilham o seu palácio e fazem-no prisioneiro, exigindo-lhe a retirada dos exércitos da Lombardia.

(23 de setembro): Capitulação de Milão, que as milícias da Liga logo deverão abandonar em virtude dos acontecimentos de Roma. Guicciardini leva as suas tropas para Piacenza. Maquiavel retorna a Florença.

(25 de novembro): Giovanni de Médicis é ferido ao tentar impedir que os lansquenetes chefiados por Frundsberg atravessassem o Pó. Morrerá no dia 30.

(30 de novembro): Maquiavel enviado a Módena para uma reunião com Guicciardini. Chega no dia 2 de dezembro, conferencia com este e regressa no dia 5.

1527 (3 de fevereiro): Maquiavel em missão em Parma, onde se acha Guicciardini.

(fevereiro-março): Maquiavel e Guicciardini em Bolonha. Frundsberg atacado de apoplexia, o comando dos imperiais e dos espanhóis passa a ser do condestável de Bourbon.

(22 de abril): Maquiavel regressa a Florença. O condestável evita Florença e avança em direção a Roma, seguido (e não exatamente perseguido) pelas tropas da Igreja e pelos aliados desta. Maquiavel encontra-se entre elas.

(4 de maio): O condestável chega aos muros de Roma.

(6 de maio): Ele investe contra a cidade e é morto por uma arcabuzada. Roma é tomada e saqueada.

(11 de maio): A notícia da tomada de Roma chega a Florença.

(16 de maio): O Grande Conselho instituído por Savonarola é restabelecido.

(19 de maio): Maquiavel toma conhecimento da revolução de Florença e pede a Guicciardini que o licencie.

(22 de maio): Maquiavel confere em Civitavecchia com o Almirante Doria e remete um último informe a Guicciardini. Embarca imediatamente rumo a Livorno, de onde alcançará Florença.

(10 de junho): A República confirma Tarugi no posto de secretário.

(21 de junho): Morte de Maquiavel.

(22 de junho): Ele é enterrado em Santa Cruz (Santa Croce).

1531 Primeira edição dos *Discorsi sopra la prima deca di Tito Livio* (publicação de Blado, em Roma, com a autorização pontifical de 23 de agosto de 1531).

1532 Primeira edição da obra pela qual o seu nome será celebrizado, *O Príncipe* (também publicado por Blado, com a mesma autorização e um selo de impressão do dia 4 de janeiro de 1532).

ÍNDICE

De Nicolau Maquiavel *para o Magnífico Lourenço de Médicis* / 5

I   Quantos são os tipos de principado e como conquistá-los / 7

II   Dos principados hereditários / 8

III   Dos principados mistos / 9

IV   Por que o Reino de Dario, ocupado por Alexandre, não se rebelou contra os seus sucessores após a morte deste / 20

V   De que modo deve-se governar as cidades ou os principados que, anteriormente à sua ocupação, viviam no respeito às próprias leis / 24

VI   Dos novos principados conquistados mercê das próprias armas ou da virtude / 26

VII   Dos novos principados conquistados pelas armas de outrem e pela fortuna / 31

VIII   Dos que se fizeram príncipes mercê das suas atrocidades / 41

IX   Do principado civil / 47

X   De que modo devemos medir as forças de todos os principados / 52

XI   Dos principados eclesiásticos / 55

XII   Dos vários tipos de exército e dos soldados mercenários / 59

XIII   Das milícias auxiliares, mistas e do próprio país / 66

XIV	Das atribuições do príncipe em matéria militar / 71
XV	Das coisas pelas quais os homens e sobretudo os príncipes são louvados ou injuriados / 75
XVI	Da liberalidade e da parcimônia / 77
XVII	Da crueldade e da piedade, e se é melhor ser amado que temido ou o contrário / 80
XVIII	Como devem os príncipes honrar a sua palavra / 85
XIX	Subtraindo-se ao desprezo e ao ódio / 89
XX	Se as fortalezas e tantas outras coisas produzidas pela ação quotidiana dos príncipes são úteis ou não / 102
XXI	Como deve portar-se um príncipe para fazer-se benquisto / 108
XXII	Dos ministros dos príncipes / 113
XXIII	Como escapar aos aduladores / 115
XXIV	Por que os príncipes da Itália perderam os seus Estados / 118
XXV	O quanto influi a fortuna nas coisas humanas e como reagir a elas / 120
XXVI	Exortação à tomada da Itália e à sua libertação dos bárbaros / 125

Notas / 130

Cronologia / 156

Coleção **L&PM** POCKET

1265. **Ame e não sofra** – Walter Riso
1266. **Desapegue-se!** – Walter Riso
1267. **Os Sousa: Uma famíla do barulho** – Mauricio de Sousa
1268. **Nico Demo: O rei da travessura** – Mauricio de Sousa
1269. **Testemunha de acusação e outras peças** – Agatha Christie
1270(34). **Dostoiévski** – Virgil Tanase
1271. **O melhor de Hagar 8** – Dik Browne
1272. **O melhor de Hagar 9** – Dik Browne
1273. **O melhor de Hagar 10** – Dik e Chris Browne
1274. **Considerações sobre o governo representativo** – John Stuart Mill
1275. **O homem Moisés e a religião monoteísta** – Freud
1276. **Inibição, sintoma e medo** – Freud
1277. **Além do princípio de prazer** – Freud
1278. **O direito de dizer não!** – Walter Riso
1279. **A arte de ser flexível** – Walter Riso
1280. **Casados e descasados** – August Strindberg
1281. **Da Terra à Lua** – Júlio Verne
1282. **Minhas galerias e meus pintores** – Kahnweiler
1283. **A arte do romance** – Virginia Woolf
1284. **Teatro completo v. 1: As aves da noite** *seguido de* **O visitante** – Hilda Hilst
1285. **Teatro completo v. 2: O verdugo** *seguido de* **A morte do patriarca** – Hilda Hilst
1286. **Teatro completo v. 3: O rato no muro** *seguido de* **Auto da barca de Camiri** – Hilda Hilst
1287. **Teatro completo v. 4: A empresa** *seguido de* **O novo sistema** – Hilda Hilst
1289. **Fora de mim** – Martha Medeiros
1290. **Divã** – Martha Medeiros
1291. **Sobre a genealogia da moral: um escrito polêmico** – Nietzsche
1292. **A consciência de Zeno** – Italo Svevo
1293. **Células-tronco** – Jonathan Slack
1294. **O fim do ciúme e outros contos** – Proust
1295. **A jangada** – Júlio Verne
1296. **A ilha do dr. Moreau** – H.G. Wells
1297. **Ninho de fidalgos** – Ivan Turguêniev
1298. **Jane Eyre** – Charlotte Brontë
1299. **Sobre gatos** – Bukowski
1300. **Sobre o amor** – Bukowski
1301. **Escrever para não enlouquecer** – Bukowski
1302. **222 receitas** – J. A. Pinheiro Machado
1303. **Reinações de Narizinho** – Monteiro Lobato
1304. **O Saci** – Monteiro Lobato
1305. **Memórias da Emília** – Monteiro Lobato
1306. **O Picapau Amarelo** – Monteiro Lobato
1307. **A reforma da Natureza** – Monteiro Lobato
1308. **Fábulas** *seguido de* **Histórias diversas** – Monteiro Lobato
1309. **Aventuras de Hans Staden** – Monteiro Lobato
1310. **Peter Pan** – Monteiro Lobato
1311. **Dom Quixote das crianças** – Monteiro Lobato
1312. **O Minotauro** – Monteiro Lobato
1313. **Um quarto só seu** – Virginia Woolf
1314. **Sonetos** – Shakespeare
1315(35). **Thoreau** – Marie Berthoumieu e Laura El Makki
1316. **Teoria da arte** – Cynthia Freeland
1317. **A arte da prudência** – Baltasar Gracián
1318. **O louco** *seguido de* **Areia e espuma** – Khalil Gibran
1319. **O profeta** *seguido de* **O jardim do profeta** – Khalil Gibran
1320. **Jesus, o Filho do Homem** – Khalil Gibran
1321. **A luta** – Norman Mailer
1322. **Sobre o sofrimento do mundo e outros ensaios** – Schopenhauer
1323. **Epidemiologia** – Rodolfo Sacacci
1324. **Japão moderno** – Christopher Goto-Jones
1325. **A arte da meditação** – Matthieu Ricard
1326. **O adversário secreto** – Agatha Christie
1327. **Pollyanna** – Eleanor H. Porter
1328. **Espelhos** – Eduardo Galeano
1329. **A Vênus das peles** – Sacher-Masoch
1330. **O 18 de brumário de Luís Bonaparte** – Karl Marx
1331. **Um jogo para os vivos** – Patricia Highsmith
1332. **A tristeza pode esperar** – J.J. Camargo
1333. **Vinte poemas de amor e uma canção desesperada** – Pablo Neruda
1334. **Judaísmo** – Norman Solomon
1335. **Esquizofrenia** – Christopher Frith & Eve Johnstone
1336. **Seis personagens em busca de um autor** – Luigi Pirandello
1337. **A Fazenda dos Animais** – George Orwell
1338. **1984** – George Orwell
1339. **Ubu Rei** – Alfred Jarry
1340. **Sobre bêbados e bebidas** – Bukowski
1341. **Tempestade para os vivos e para os mortos** – Bukowski
1342. **Complicado** – Natsume Ono
1343. **Sobre o livre-arbítrio** – Schopenhauer
1344. **Uma breve história da literatura** – John Sutherland
1345. **Você fica tão sozinho às vezes que até faz sentido** – Bukowski
1346. **Um apartamento em Paris** – Guillaume Musso
1347. **Receitas fáceis e saborosas** – José Antonio Pinheiro Machado
1348. **Por que engordamos** – Gary Taubes
1349. **A fabulosa história do hospital** – Jean-Noël Fabiani
1350. **Voo noturno** *seguido de* **Terra dos homens** – Antoine de Saint-Exupéry
1351. **Doutor Sax** – Jack Kerouac
1352. **O livro do Tao e da virtude** – Lao-Tsé
1353. **Pista negra** – Antonio Manzini
1354. **A chave de vidro** – Dashiell Hammett
1355. **Martin Eden** – Jack London

lepmeditores
www.lpm.com.br
o site que conta tudo

IMPRESSÃO:

PALLOTTI
GRÁFICA

Santa Maria - RS | Fone: (55) 3220.4500
www.graficapallotti.com.br